Tudo que você não soube

Tudo que você não soube

Fernanda Young

Ediouro

Capa
Marcelo Martinez — Laboratório Secreto

Imagem de capa
Digital Vision

Foto da autora
Rigel Dantas

Copidesque
Rita Godoy

Revisão
Rebeca Bolite

Produção Editorial
Cristiane Marinho

CIP-BRASIL. CATALOGAÇÃO-NA-FONTE
SINDICATO NACIONAL DOS EDITORES DE LIVROS, RJ.

Y68t Young, Fernanda, 1970-

Tudo que você não soube / Fernanda Young. — Rio de Janeiro: Ediouro, 2007

ISBN 978-85-00-02220-3

1. Romance brasileiro. I. Título.

07-2628. CDD 869.93
CDU 821.134.3(81)-3

---

07 08 09 10 11 6 5 4 3 2 1

Rua Nova Jerusalém, 345 — Bonsucesso
Rio de Janeiro — RJ — CEP 21042-235
Tel.: (21) 3882-8200 Fax: (21) 3882-8212/8313
www.ediouro.com.br

*"Para a mulher, a quem a educação não ensinou o bem,
Deus abre quase sempre dois caminhos que a conduzem a ele.
Esses caminhos são a dor e o amor. São difíceis. Aquelas que
neles se engajam sangram os pés, machucam as mãos, mas,
ao mesmo tempo, deixam no acostamento da estrada
os enfeites dos vícios e chegam ao fim com aquela nudez
da qual não se enrubesce em frente ao Senhor."*

Alexandre Dumas Filho

As páginas seguintes são resultado de doloroso exercício de ficção; nenhum episódio narrado se baseia em fatos reais. Agradeço à amizade de Anne A. e dedico este livro a Silvia Bronstein e às quinze meninas que conheci em janeiro de 2005, e às que vieram depois, e às que estão por vir.

I

Era início da década de 1980 e não tinha muito jeito: você se tornava um babaca ou um doidão. Diferente dos anos 1960, em que as drogas serviram de ponte para ideologias, e dos 1970, quando se drogar era a maneira de participar daquela cafonice, ser doidão nos 1980 não significava realmente nada. Ninguém tomava coisas para ficar "curtindo um som", nem para ter sacações, nem para fazer coreografias em boates espelhadas, nem para entender a mensagem subliminar do rock progressivo. As substâncias, todas e muitas, consumidas naquela época escaparam dos contextos sociológicos. Precisávamos sobreviver? Sim, mas isso é desculpa que vale para tudo. Sendo que não estou me desculpando.

Então, 1983, babaca ou doidão. E ocorria muito de os babacas serem doidões — os *yuppies* — e de os doidões serem babacas — os *new wave*.

Eu sei que esta parece uma conversa estranha para se ter com alguém que está morrendo, mas é justamente por causa disso. Não quero que o meu pai morra pensando que eu sou uma babaca, quando na verdade eu fui uma doidona. Seria injusto comigo, e eu não mereço. Lógico, eu não acho que você pense assim de mim: "ah, a minha filha é uma babaca". Esta palavra, babaca, não passaria pela sua cabeça, eu sei. Falo do equivalente à idéia de babaquice dentro do seu vocabulário — tenho certeza de que você me encaixa nessa categoria. E está totalmente errado. Daí a necessidade deste detalhamento ao qual me proponho, já meio que previamente arrependida.

Portanto, retomando do princípio, que não me parece tão distante, mesmo tendo se passado tanto tempo: eu com 10 anos de idade. Achando que lança-perfume era a coisa mais perigosa do mundo, pois tinha visto uma moça cheirando um lenço, no *réveillon*, e aquilo me deixara altamente impressionada; diria até amedrontada. Lá em casa, entorpecentes eram bolinhas que se jogavam nas bebidas dos outros, levando qualquer um a matar a própria mãe. A idéia de poder me tornar uma viciada assassina por meio de um lenço era assustadora. Foi quando caiu em minhas mãos o livro *Cristiane F., 13 anos, drogada e prostituída.* Uma leitura com prós e contras, pedagogicamente falando. Os contras, para mim, resumiram-se numa estranha atração por tudo aquilo. Aquelas fotos, sei lá. *Junkies* alemães dão cenas muito fortes. E fui tomada pela mais pura curiosidade mórbida. Curiosa e com medo — eis uma forte candidata a caso perdido. Afinal, sim, é terrível aquela situação; mas mil vezes estar descacetada numa rua de Berlim, chupando picas azedas pelos becos, do que estar em Niterói, assistindo ao Silvio Santos falar sobre seu carnê. Mil vezes ficar jogada na sarjeta da Kurfürstendamm do que passar os feriadões em Araruama. Numa casinha mínima, emprestada de não sei quem, muito mais longe da praia do que o apartamento em que morávamos. Mas todos tínhamos que nos despencar para lá, e ficar felizes em dormir pelo chão, e ver televisão com fantasma, porque era férias e ia dar para viajar.

Se você não quer que sua filha se torne uma Cristiane F., desculpe, deve oferecer a ela melhores opções do que as que me ofereceram. Ninguém agüenta uma realidade tão intensamente medíocre quanto aquela.

Então, fumei um cigarro e achei maravilhoso. Lembro bem da sensação, que me pareceu de delícia absoluta, do meu corpo ficando dormente a partir da ponta dos dedos. Fumar escondido tornou coisas como feriados em Araruama imediatamente mais interessantes. Já que, sentada em qualquer janela, de madrugada, junto com o meu Hollywood, eu estava tendo minhas primeiras experiências no ramo em que me notabilizaria: o da ilegalidade. Logo depois, viria aquele copo de requeijão cheio de Campari, tomado num só fôlego, que me introduziu no mundo dos porres completos. Nunca mais bebi Campari, enjôo só de pensar; mas virei adepta do hábito pirata, do álcool num único gole. Daí para a chamada perdição foi uma ida até a próxima esquina.

Coisa triste de uma filha dizer a um pai. Ainda mais, sendo justamente esta a sua intenção.

II

Demorei vários dias para escrever este "II". Tenho pensado muito em como devo, ou não devo, contar a minha história. Se desde o começo mesmo, ou pipocando os acontecimentos mais marcantes. Achei que pipocar seria mais divertido. E mais fácil para mim, que não sou escritora, porque vir conduzindo, lá do início, até chegar aqui, ih, não. Não quero que este livro pareça uma picaretagem do gênero, tipo uma autobiografia-bomba. A idéia é que soe mais ou menos assim: "eu vim de lá, eu vim de lá pequenininha". E aí "alguém me avisou pra pisar nesse chão devagarinho", sabe? Ou "sempre fui obediente, mas não pude resistir: foi numa roda de samba que joguei-me aos bambas pra me distrair".

Lembranças musicais, fundamentais para o entendimento das épocas. Já que não sei bem o que descrever, para me situar no tempo. Na verdade, até sei, mas um livro é um livro. Precisa ser entendido como um todo, mas apreciado por partes. E meu maior objetivo é esse: fazer-me entendida e apreciada, entende? Um enorme desafio, já que nunca, em toda a minha existência, eu me senti sequer levemente tocada pela compreensão alheia. Sendo este o motivo, acredito, de eu ter me tornado uma ótima doidona. Foi fácil para mim.

Bom, tendo explicado direitinho porque eu escolhi não ser linear em minha narrativa, posso dar um exemplo disso.

Anos fodidos. Seria um trocadilho, se eu não os detestasse. Depois de "Anos Dourados" e "Anos Rebeldes", vem aí, dãããããã, "Anos Fodidos". Não ria, pois não é engraçado. Não é porque optei por uma estrutura mais divertida que serei engraçadinha. Apenas rolou de ser assim: foram anos em que, fodidamente, acreditei que estar drogada facilitava o fato de eu ser estranha. Porque você fuma um baseado e as coisas parecem mais leves. O problema é que, então, talvez seja melhor tomar logo um ácido. Você já é, ao natural, tão absurda e sem sentido aos olhos dos outros, que é melhor ficar chapada de uma vez, falando enrolado. Com os olhos vermelhos emoldurando as pupilas dilatadas. Esse é o visual que combinará com você, porque você é uma *freak*, e a qualquer instante morrerá de seus excessos.

Hoje em dia, nem sonharia em tomar um ácido, ou fumar um baseado. E bebo, quando muito, um chope. Gozado, não é? Eu acho. Sinceramente, acho engraçadíssimo que eu, logo eu, tenha me transformado nesta pessoa sóbria e dissimulada que sou. Acho mesmo. O que me tornei, juro, é a maior dificuldade de te contar sobre a minha vida. Pois quero ser honesta, como se deve ser com um pai moribundo. E para isso preciso, no mínimo, abrir um novo capítulo.

III

É, tornei-me uma fingida completa, o tempo todo sendo aquilo que não sou. Essa semana, por exemplo, eu tenho fingido que sou aquela que acha legal que o marido conserte os eternos probleminhas da casa de praia. Ora, eu não acho nem um pouco legal que um homem adulto passe o dia inteiro eufórico porque está conseguindo que a cisterna volte a funcionar. Nem sei o que é cisterna — como pode ter alguma importância uma coisa que nem sei o que é? Então, lógico, eu finjo. E finjo perfeitamente, porque pratico desde criança. Quando fingia que era maluca, por não ser genuinamente esquisita, tomando vidros de xarope com Optalidon.

Ontem eu vi uma coisa que finjo que não é ridícula: meu marido cruzou com um conhecido na praia e estalou, em dueto com o sujeito, um tapinha no ar. Sabe como? Você conhece esse cumprimento "jovem"? Provavelmente, não. Isso é coisa, creio, muito recente. Na academia de ginástica, todos os caras fazem assim. E "os caras" são em boa parte homens, digamos, velhos. Homens com mais de 40 anos já podem ser chamados de velhos, certo? Eu acho.

Não é porque eu estou chegando aos 40 que vou começar a dizer que ainda me considero jovem. Jovem é até, no máximo, estourando, 35. E ponto final. Mesmo que todo mundo, hoje em dia, esteja se comportando como se fosse adolescente. Também ontem vi uma outra cena patética de tal gravidade que optei por disfarçar cretinamente, falando sobre bóias com meus filhos. Estávamos andando por umas ruelas estreitas daqui, que levam até a praia, eu e os meninos, indo dar um mergulho de final da tarde. (Continuo detestando praia, mas finjo que gosto. Então, proponho esses mergulhos tardios, e todos vamos por uns caminhos enlamaçados, cruzando com bandos de gente seminua; porque nós, os ricos atuais, sabemos apreciar o rústico). Quando viramos uma curva, demos de cara com um grupo. O grupo: quatro adultos velhos, todos com uns 40 e tanto, e umas duas ou três crianças com 10, 12 anos. Os adultos vinham meio bêbados, provavelmente nem tanto, cantando "Cocaine". Sabe a música "Cocaine", do Eric Clapton? Pois bem, pai, esse é um exemplo do quanto este meu empreendimento é complicado. Refiro-me a contar minha vida para você. Se o faço, é porque me é uma necessidade; não de expurgar ou esclarecer algo em mim mesma; não, não é com o pensamento voltado à ilusão "cabeça" da auto-análise que me esmero nessas páginas; mas porque você está morrendo e não me conhece. E eu faço questão de que você vá para o inferno sabendo como foi paga a sua passagem. Foi com isso que me tornei, por sua culpa, uma pessoa que se sente insuportavelmente sozinha o tempo todo. Posso me cercar por multidões, pulando carnaval, que morro de solidão ali no meio. Não há companhia, ou emoção coletiva, ou comoção nacional, que me livre de estar só. Festas acontecem ao meu redor, sem que eu nunca me estabeleça como integrante. Pelo contrário, odeio quietinha todas elas, as festas, porque não suporto qualquer manifestação de felicidade. Odeio férias, odeio os feriados, odeio mesas grandes em pizzarias. Detesto Natal, tenho raiva do verão, fujo de aniversários. Tudo isso, paizinho, eu devo a você. E como ando muito puta da minha vida, resolvi jogar tudo na sua cara. Escrevendo, pois não gosto de confrontar ninguém. Um livro — já que seria material demais para uma carta —, que eu pretendo entregar em mãos, neste único manuscrito, enquanto você ainda estiver lúcido. Por isso, não vou perder tempo com frescuras de narrativa. E retorno, sem maiores conclusões, aos bobalhões que cantavam "Cocaine" pela ruela.

Eles não estavam sendo felizes, não, senhor. Nem estavam fingindo ser, como eu. Nem são uns doidões, como eu fui. Eles são simplesmente a corja da humanidade. E devem estar, hoje, novamente, por aí, tomando caipiroscas e fumando um cigarro atrás do outro, tendo conversas acaloradas sobre o último texto do Diogo Mainardi ou do Arnaldo Jabor. Depois, vão voltar de onde estão cantando "Cocaine", outra vez, com direito inclusive a guitarra imaginária e *backing vocals*. Pois querem provar para os filhos, essas crias desvalidas, que eles podem ser velhos, mas não são caretões. É, eles já deram muitos tecos pelos bares da Augusta, nos bons tempos. E se depois viraram pais, com filhos nos melhores colégios, não significa que não possam ainda ser *wilds*. Só que — eis a questão — eles não são nada. Nem pais, nem *wilds*, nem droga nenhuma. São apenas e tão-somente o que há de pior no mundo: gente porcaria.

Eu? Bom, com certeza eu não me permitiria o vexame de tentar provar nada para os meus filhos. Também jamais ficaria bêbada na frente deles. Nem fumar diante deles fumei, quando ainda fumava.

Parei; não por causa deles, ou de ninguém, mas porque acho um "cocô sonoro" voz de fumante velho. Cito o que li, esses dias, em *A Dama das Camélias*: "vícios envelhecidos são espetáculos terríveis, principalmente nas mulheres". Eu vejo essas quarentonas bronzeadas, com Marlboros pendurados na boca, falando com aquela voz rouca de pré-câncer — e Deus me livre. Não, nunca me deixaria acabar assim. Não por saúde, mas por estética.

Mas confesso que fiquei meio confusa com o andamento das minhas idéias. Onde estava mesmo?

Isso aqui não é um diário, entendeu? Não foi escrito aos pouquinhos, com o passar do tempo. É minha história, contada de uma só vez, e sem grandes considerações, já que eu soube que você está nas últimas. Perdoe, portanto, este estilo conturbado. E saiba aproveitar o que há de precioso nestas linhas. Trata-se da vida da sua única filha, aquela que você jamais se interessou em conhecer, mesmo quando ela se tornou um caso de polícia. Ou não foi assim que aconteceu? Não, né? Você e o resto da nossa pequena família são eficientes em criar outras versões para os acontecimentos. Tanto que eu mesma, durante bastante tempo, questionei se realmente passei por todas aquelas circunstâncias horrorosas, ou se as inventei, por esquizofrenia ou maldade — duas propensões que vocês me convenceram de possuir; uma por genética, outra por conta própria.

Sou má? Temo que sim. Sou esquizofrênica? Acredito que não. Uma esquizofrênica não faz ginástica seis vezes por semana. Não leva três filhos ao colégio todo dia, nem vai a reuniões de pais quase todo mês. Não tem um relacionamento estável, feito eu, nem os dentes perfeitos, feito os meus. Sim, pai, sou tida como uma mulher bem-casada, bem-relacionada e bem-sucedida — quem diria, hein? Ao mesmo tempo, eu devo reconhecer que ninguém me conhece. Não realmente. Os que mais sabem não sabem da metade. Não deixo todos os segredos escaparem de mim, não mesmo. Uma delicadeza com os outros, eu diria, pois não quero assustar as pessoas com o meu passado. Em especial, aquelas que continuaram gostando de mim após o pouco que souberam. Mesmo porque aquela, que fez aquilo, não está mais aqui. Eu sou literalmente outra, e é isso que tento lhe explicar. Quando digo que finjo, quero dizer que sou igual a todo mundo que é normal: desempenho bem o meu papel. Não sou aquela assassina de filme, que parece uma inocente dona de casa, pondo bolos para assar, mas mata carteiros. Sou o que pareço ser, tanto quanto qualquer um que conheço. Finjo, sim, porque ninguém pode ser o que verdadeiramente é. Até aquela que fui fingia, e continuaria fingindo, inofensiva, se não tivesse sido provocada ao ponto que fui, sendo obrigada a fazer algumas coisas não muito legais como derradeira solução. Óbvio, eu não acho nem um pouco legal ter martelado a cabeça da mamãe. Sei que você não quer tocar nesse assunto, xiita em sua negação, mas eu não posso evitar. Não gosto de falar sobre isso, tanto quanto você, entretanto é um fato que pertence a nós dois. Acho terrível ter sido levada a fazer aquilo, daquela maneira, porém aconteceu. Constatação que vem comprovar que não sou uma bipolar que fala com vozes diferentes. Foi péssimo ter martelado a mamãe, por ela ter-se tornado o vegetal que virou. Se ela tivesse morrido, tudo estaria certo. Eu teria passado o mesmo tempo detida e você não teria que ter cuidado dela. Arrancaria a minha mão, juro, se pudesse voltar atrás e, em vez de usar um martelo, usar um revólver. Acertando um tiro onde dei o golpe. Daria tempo, então, para acertar outro no peito, só para garantir. Mentira. Só escrevi isso para causar impacto. Não se trata de cinismo de minha parte; apenas estou fazendo um livro, não um inventário. O exagero é um recurso literário justo, utilizado aqui para demonstrar o ódio que sentia por vocês dois. E por que eu os odiava tanto assim? Bom, isso pede um novo parágrafo.

Vocês se negaram, desde o começo, a me aceitar do jeito que eu era. Nasci sob o signo da desaprovação, sabe-se lá por quê. Desde pequena, recordo bem disso, nada que partisse de mim agradava vocês. Nunca um elogio foi feito, a coisa alguma; jamais um carinho. Sequer um olhar afetuoso eu lembro de ter recebido. Aliás, parecia que você não podia me olhar. Sério, não tenho memória dos seus olhos apontando em minha direção, em momento algum. E, conforme fui crescendo, esse abismo parecia ir aumentando. Ao seu lado, aquela mulher fria, dita minha mãe, toda "íntegra e caridosa", absolutamente preconceituosa e, pior, orgulhosa da sua ignorância. Acho que herdei essa frieza prática de vocês. E nem isso lhes fez gostar um pouco de mim.

Chato, mas agora vou ter que dar uma parada. Estou meio enjoada. Essa parte do desamor me atinge o estômago.

Voltei. Li as últimas duas páginas, para retomar a meada, e quase deleto tudo. Por um triz não desisto. Estive realmente à beira de deixar essa idéia estúpida para lá. Mas isso seria fácil, e não gosto da facilidade. Acostumei-me a agir impulsionada pelas dificuldades, para falar a verdade. Ontem, nossa!, ontem foi um dia dificílimo. Foi um dia na "bolha". "Bolha" é como eu chamo quando atinjo um determinado ponto, em que as dores do presente me remetem diretamente às do passado, dando-me a delirante sensação de que fui catapultada até aquela tenebrosa época que foi a minha infância. Já acordei com a enxaqueca estourando na nuca. Acreditando no sonho que estava tendo. Sabe quando a gente acorda no meio de um sonho e segue achando que ainda está nele? Pois é, foi assim. No meu sonho, mamãe envolvia em papel-bolha — olha a bandeira — uma casa que era minha. Dizia que era para os mosquitos não entrarem. Só que eu também ficava do lado de fora, uma agonia. Depois, ela me levava até a casa da Marta, que ficava perto — sim, da Marta. E você deve estar se perguntando como eu posso sonhar com uma irmã que morreu antes de eu haver nascido. Lógico, essa Marta não era a Marta; explicando melhor, a Marta do meu sonho não tinha a mesma cara das fotos da Marta que vi, durante minha infância inteira, como exemplos perfeitos daquilo que eu jamais seria. A Marta do meu sonho, inclusive, era adulta. Uma mulher linda, mas não tenho certeza de poder descrevê-la, pois sua beleza, da maneira como sonhei, não era do tipo visível. Era só sensível, se assim podemos dizer. Então, eu entrava na casa da Marta, com a mamãe, e tudo era sereno e limpo. Tanto o ambiente quanto a sua dona: tudo exalava a mais pura maturidade. Uma sensação de "mundo adulto" que jamais havia experimentado. Não lembro direito do resto do sonho, mas lembro do constrangimento que se abateu sobre mim quando despertei dele. A vergonha era por saber que eu poderia ter comprado uma casa como aquela, tão próxima e superior à minha, mas de alguma forma, por burrice, ou precipitação, ou apenas mau gosto, eu havia feito a escolha errada. Eram casas de um mesmo condomínio, algo assim. Só que a minha dava para os fundos, com vista para um pátio cimentado, enquanto a da Marta tinha um jardim singelo, com uma linda perspectiva do horizonte. E os cômodos dela, iguais aos meus, eram bem iluminados e aconchegantes, ao contrário dos meus, que eram obscuros e umbrosos. Não creio que mamãe, nem Marta, tenham feito alguma comparação no sonho, mas era flagrante que as oportunidades haviam sido as mesmas e eu não soube aproveitá-las. Quando percebi que meu constrangimento não tinha sentido, já que aquilo não passava de um sonho, entendi que esta foi a mensagem que recebi de vocês, desde bem pequena: você saiu do mesmo lugar que a sua irmã, teve as mesmas oportunidades, não, na verdade, você teve mais oportunidades ainda, pois nasceu sem problemas, e não morreu aos 9 anos de idade; e, apesar de todas essas vantagens, você nunca conseguiu chegar aos pés da nossa querida e doce Marta. Aquela que era tão frágil, tão delicada, tão mágica, que não tinha forças para manter o coração batendo nesse mundo injusto. Um anjo tão sublime que Deus quis de volta. Em troca, dando-lhes um pequeno demônio equivocado. É, pai, não é fácil acordar de um sonho como este e seguir o dia, agindo naturalmente. Odeio sonhar por causa disso: nós vemos como estamos internamente. Não dá para disfarçar diante de um sonho. Através das nuanças dos delírios sem nexo, revelamos uma radiografia das nossas partes internas, implacável, em que cada mancha, mesmo após mil lavagens, pode ser detectada, gritante, no lençol que encobre as nossas verdades. Eu sei, eu deveria ficar quieta. Caso fosse uma escritora, mesmo, deixaria que você morresse, antes, para poder me esbaldar nessas velhas lembranças; talvez transformando-as em patéticos biscoitinhos amanteigados num pratinho, como fez a bicha chata do Proust. Nesta hipótese, sem más intenções, nem motivações de vingança, as minhas manchas poderiam estar em bordados mais sofisticados, ou até serem resultado de secreções mais nobres do que as minhas sujeiras. Entretanto, não sendo escritora, o sangue em meu vestido não é vinho. Não posso, não consigo, transformar porra em mingau de aveia; a lama em meus sapatos é pura merda. E durante essas semanas em que venho insistindo neste relato, juro, tenho sentido os meus rins doerem, na vã tentativa de me dar algum incentivo. Meu fígado se revira, em busca de desopilar a química desse remédio, que é desabafar em verbo, e meu estômago arde e regurgita, porque palavras como as que sou obrigada a usar são indigestas até para frias miseráveis desgraçadas, como eu.

Bom, a fria-miserável-desgraçada que vos fala foi, ontem, também, ao dentista. Ainda não disse — ou disse? — que, hoje em dia, dou meu testemunho antidrogas para quem quiser ouvir. Já faz tempo, inclusive, que nem um analgésico opióide eu tomo. Se já comentei sobre essa novidade, ou se alguém lhe contou, é necessário que fique claro que parei assim, com tudo, porque fico absolutamente nervosa quando me sinto fora de mim. Etiquetas das roupas se tornam pinicantes demais para meu corpo, minha existência se eleva a níveis insuportáveis, minhas pernas ficam pernas demais, sabe? Não, não sabe. E tem um outro aspecto incrível nessa minha permanência em mim mesma: eu passei a gostar de estar onde estou. Consigo ser clara? Desconfio que não. Mas a clareza não é tão importante — o que me interessa é que você acredite que, agora, eu quero, mais do que tudo na vida, estar no mesmo lugar das minhas sensações, mesmo as mais tenebrosas. Não gostaria de perder um só detalhe, nessa nova chance que tenho, de reviver uma realidade descrevendo-a sem disfarces. Procuro, então, demonstrar todos os mecanismos que me levaram a reagir como reagi, e a fazer o que fiz. Precisando reabrir o meu universo mais secreto, aquele que escondemos o melhor possível em nossas profundezas, por ser onde guardamos gravados os instantes exatos dos nossos sentimentos mais vis e escrotos. Quero averiguar a minha inveja, olhar de perto o meu rancor, cheirar as minhas feridas. Sentir de novo as cicatrizes de um masoquismo de uma vida inteira. Seja adorando outra vez aqueles que não me quiseram, ou rastejando em agradecimento àqueles que ainda querem comer meu cu. As pessoas passam a vida inteira tentando abafar essa existência interior, não eu; eu vivo ali, naquele recinto, observando as minhas taras, crueldades e egoísmos. Explicando-os para fora. Então preciso de todos os sentidos alertas. Não estou cuspindo no prato que cheirei, não, não estou, não, senhor. Acho que as drogas, principalmente as lisérgicas, fizeram um excelente serviço em mim. A maioria dos *insights* que eu tive, utilizando-os para sobreviver à imbecilidade geral que nos cerca, a todos, veio dos alucinógenos, não nego. No entanto, hoje em dia, repito, já não preciso de nada disso. Papai, você fica feliz? Não fique. Continuo uma adicta, só que atuo em outras áreas. Pois então, ontem, fui ao dentista, e usei, pela primeira vez, aquele gás hilariante. Pai, olha, americano é foda mesmo. Puta invenção. Nunca senti coisa igual, sério, uma loucura, eu delirei na broca. E dizem que nem mal faz para a saúde. Não é sensacional? Um planeta que tivesse óxido nitroso em sua atmosfera seria, enfim, um mundo feliz. Eu, se tivesse compaixão por você, daria um jeito de colocar um tubo aí, junto ao seu leito de morte. E agora que descobri essa maravilha, vou dar início a uma série de correções estéticas nos meus perfeitos dentes. Comecei por um clareamento; dizem alguns que acaba com o esmalte dos dentes, mas caguei. Diante do meu antigo descaso, e hábito de cocaína, era para nem tê-los, os dentes. Por sorte, puxei à mamãe. Mamãe tinha lindos dentes, lembra? Foi o mais triste: tê-la feito perdê-los daquela maneira, especialmente os da frente, que martelei primeiro. E estatelada na cadeira do dentista, sob o efeito do gás, revivi toda a minha tristeza; tendo mesmo que me conter para não chorar, relembrando da cara da mamãe, toda inchada, com os beiços enormes e desdentados. Foi como a vi, no dia em que me levaram. Imagem recorrente que ainda me persegue. Pô, eu não tinha a intenção de deixá-la sem dentes, claro que não. Queria apenas que ela morresse, e, bom, se ela tivesse morrido, não haveria nenhum problema perder uns dentinhos. Ninguém é enterrado sorrindo, é? Olha eu, de novo, divagando com perguntas retóricas. Devo voltar à concentração: estava eu, deitada na cadeira, e, depois que consegui anular da minha cabeça a viagem errada da mãe-sem-dente, comecei a me sentir bastante bem, muito bem mesmo. Meu corpo ficou todo molenga, sabe? E eu nem liguei para o que o cara estava fazendo ali, na minha boca. Ele poderia meter o pau dele, duro, lá dentro, e gozar em jatos, que eu nem repararia. O legal da coisa é que você realmente está cagando e andando para o que rola, role o que rolar. Afinal, a onda é só sua, autorizada pela lei, e, além de tudo isso, está a serviço de uma boa causa: seu embelezamento. Você pode, simplesmente, se dar ao luxo de se jogar de cabeça nas sensações. Você está sendo monitorada por pessoas bem treinadas, e nada de muito errado poderá acontecer. Porque, não sei se você sabe, quando a gente se droga, pode acontecer de tudo. Há, num ambiente de drogados, uma falsa "descontração" do tipo: posso ficar com a cara torta, e com os olhos revirados, e começar a falar na língua dos *eewaks*, que tudo bem. Só que drogados, pai, não deixam de ser vaidosos. Querem ficar doidões por dentro, mas normais por fora, como se isso fosse possível. A maioria das *bad trips* que já tive, ou presenciei, foi porque rolou alguma espécie de dúvida, receio, ou constrangimento, a respeito de estar tudo certo mesmo em ficar assim, tão ridícula, no meio dos outros. Por mais que os outros estivessem tão ridículos quanto você, não importa — se a pessoa está um pouco mais suscetível, às vezes vem o medo de estar fora de si a ponto de isso ser perceptível. Todavia, ali no dentista, eu não tinha nenhum grilo em parecer na boa ou não, ou centrada apesar de tudo, ou nada parecido. Estava, como já disse, pouco me lixando. Poderia soltar um arroto na cara deles que nem pediria desculpas. Por isso, livre dessa atuação eu-tu, pude enfim relaxar num barato. E tive uma viagem sensacional. Nela, já não mais no consultório, eu estava num desfile da *Chloé* — uma grife de roupas espetacular. Melhor: eu não apenas assistia ao desfile, eu era o desfile. Sei lá como. Mas eu era tudo: a roupa, as luzes piscando, as modelos, a genial estilista. Tudo se referia a mim, o desfile inteiro era somente eu. Não eu, eu, eu, e eu — eu era única e a coisa toda, ao mesmo tempo. E estava tudo lindo, e indo muito bem, com o público parecendo estar gostando. Até que, de repente, eu (tudo) notei que o público (todo o resto) começou a comentar: maravilhosa! Maravilhosa, maravilhosa! Burburinho que subitamente passou para: horrorosa!

Horrorosa, horrorosa! E o coro de gente, que eu não via, mas sentia, cada vez mais próximo, foi ficando mais alto e mais alto. Horrorosa, horrorosa, horrorosa! Então, num respiro, as duas exclamações passaram a ecoar quase uníssonas: maravilhosorrorosa-maravilhosorrorosa-maravilhosorrorosa!

Pai, olha, nem sei; como foi bom, para mim, ter vivenciado aquela experiência. Compreendi que todo mundo é desse jeito, dúbio, capaz de achar duas coisas tão opostas sobre um mesmo acontecimento. Estamos todos, eu, você, desfilando sob o crivo dessa oscilação de opiniões, que no fim pouco importam. Por significarem a mesma coisa. O maravilhoso e o horroroso, tanto em nós quanto nos outros, convivem em choque constante. Não havendo motivo para querermos parecer um ou outro.

Pai, isso é superimportante. Eu reconhecer isso, entende? E que bom que eu te contei a tempo, pois acho que, talvez, eu me torne menos horrorosa, aos seus olhos, porque sou maravilhosa. Uma filósofa generosa, essa, que sou. Reconhecer, sem ressalvas, que todos temos ressalvas. *Ups and downs.*

Ah, pai, aprendi a falar inglês. *And, well, I'm tired. See you later, bye.*

E mais uma coisa: *fuck you, Jack!*

IV

Faltam poucas páginas para eu terminar de ler um livro que me comoveu muito. Dei uma parada, agora, pois senti uma vontade danada de chorar, e não sou boa em abafar rompantes. Também não estou a fim de ficar soluçando em frente ao espelho do banheiro — mais um hábito que cortei da minha lista. Parei de fumar assim, assistindo ao horror dessa ação no meu reflexo. Não pretendo parar de chorar, claro que não, chorar é saudável, eu sei. E sou masoquista, não sei se deixei isso claro para você. Foi uma descoberta bem recente. Que fiz num outro livro que li, e explicou o fato de eu ser tão grata ao outro, quando ele repara em mim. Fazendo com que eu aceite qualquer abuso, vindo desse "sujeito amoroso", como um ato de afeto. É que quando me sinto amada, parece que, enfim, posso viver algum tipo de calma, em ser essa que sou. Alguém que já experimentou a mais cruel das rejeições: a de mãe e pai. Então, no momento que esse "amante gentil", incrivelmente sábio e bom, olha para mim e me aprova, é como se esses pais tomassem o corpo dele emprestado, voltando a existir naquele ser momentaneamente "perfeito", a fazer coisas desagradáveis em mim. E, nisso, eu pudesse sentir o alívio do perdão.

Ora, não estou aqui para me justificar. Se conto isso para você, é por causa dessa rara qualidade que tenho: a generosidade da alma.

Que me faz querer o compartilhar do entendimento. Não somente sobre mim, mas, se você for capaz de perceber, sobre todos nós. Os carentes, os loucos, os chatos, os cansativos. Todos nós somos assim, frágeis, em circunstâncias que fogem ao nosso controle. São as tais ressalvas. A maioria delas provocada à força, quando somos revisitados pela mesma velha, humana e implacável sensação de abandono.

Mas voltando à questão: sou masoquista. Autodiagnóstico que dói, porque não gosto de diagnósticos. Já gostei, confesso, quando achava chique ser hipocondríaca. Atualmente, sinto-os como que uma capa de caderno cheia de *post-its*. Essa mania, moderna, talvez, de precisar de referências para tudo. Designar todo mundo, e tudo que todo mundo faz, com algum nomezinho específico. Então, sacamos daqueles maravilhosos papeizinhos cores cítricas, e marcamos nossos livros de arte, de capa dura, com anotações imaginárias. Para, um dia, podermos lembrar: oh, sim, essa cadeira é pré-alguma-coisa, ou pós-alguma-coisa, ou da fase intermediária entre uma coisa e outra. Acho isso um saco. Notei essa tendência mais fortemente quando vim morar em São Paulo. Os paulistas são mais cultos, por isso têm mais repertório de designações. E, você sabe, repertório é um troço perigoso nas mãos dos tolos. Um imbecil letrado é algo dantesco. Mil vezes os imbecis ignorantes, mil vezes os analfabetos. São os especialistas em coisa-pronta que me oferecem os diagnósticos. Minha massagista, por exemplo, é uma *expert* em idéias de gente morta. Sabe tudo que já foi dito sobre tudo que já foi pensado. Mas é incapaz de criar alguma nova verbalização que altere a anterior. Não posso negar que diagnósticos são muitas vezes necessários, quando, por exemplo, detecto alguma mancha em minha pele. Quero-a imediatamente detectada e removida. Foi num processo semelhante a este, de detectar a verdade sobre as manchas, que detectei minha imensa tendência ao masoquismo. Pasma em reconhecer que meu dito amor pelas pessoas sempre teve essa urgência irresponsável; algo que saltita, aflito, entre o agradecimento e o pavor do sumiço. Pois, se o amado dissesse me amar, eu me tornava boa; do contrário, em qualquer demora, ausência, ou susto, vinha a comprovação da minha maldade e feiúra. Aquela teoria da Melanie Klein sobre "seio bom" e "seio ruim", conhece? Eu talvez esteja errada em incluir esta questão entre as que carrego até hoje, mas foi o que me fortaleceu em compreender melhor os meus relacionamentos. E sou grata por tê-los vivido daquela maneira, como um ratinho de laboratório que finalmente entende o labirinto proposto e a ciência por trás disso. Pude perceber, pensando em seios, que há essa tendência, minha e generalizada, de se tentar trazer de volta a mãe, como um espectro. Acontece que ela nunca aparece quando você quer, mas quando é a hora. Às vezes, quando menos quero. Sou grata, então, não ao amor — começo a despir minha capa masô —, mas à chance de observar como é fundamental a criação de uma "mãe interior" em mim. Uma mãe que nasça dentro dessa vida, aqui, brotando do meu lodo mais profundo, para revelar, no meio de tanto rancor e perversão, e náusea, e ciúmes, e ódio, algo que preste.

Quando digo que parei o tal livro e quis chorar, foi porque cheguei num trecho que o autor transcreve, do Schopenhauer, que repetirei em seguida, com um certo constrangimento, pois não verifiquei a citação na fonte. Seria fácil, já que ele é, junto com Nietzsche, um dos meus preferidos; mas foi assim, por meio de um bom best-seller, que tive o azedume do primeiro contato, tão importante, por ser o que produz a identificação; e talvez, com o processo, a cura. Aí vai: "O peso do talento fez com que eu ficasse mais ansioso e desajeitado do que já sou por herança genética. A sensibilidade dos gênios faz com que sofram mais e sejam mais ansiosos. Estou convencido de que há uma ligação direta entre a ansiedade e a inteligência".

Creia, eu sei que o termo gênio, aplicado a meu caso, não passa de um absoluto exagero. Eu mesma não vejo, em mim, nada de genial — e eu tento. Mas não vou negar que tenho esse talento para o lado mais sensível, para as partes mais chatas da vida, e isso me deixa exposta a mais ataques emocionais que os outros. Sou completamente ansiosa. Mas sou também inteligente e, assim, faço da ansiedade uma motivação artística. Vindo a me tornar o que sou: uma artista da vida real. Uma espécie de atriz performática *full time*, o tempo inteiro atuando para o mundo exterior, só que secretamente uma cientista, pesquisando todas as reações à minha atuação. Fico espionando, e catalogando na minha cabeça, tudo, nos mínimos detalhes. O tudo que agora revelo, em primeiríssima mão, para você. Então, bem-vindas as minhas oscilações, pois serviram para alguma coisa. Bem-vindos os meus achaques, já que se tornaram texto. Não que eu não vá, com o tempo, querer aplacar os meus nervos. Não quero acabar a louca de pedra que vocês previram, durante minha infância, nem a psicopata, que previram na adolescência. Com certeza, se não tivessem me trancafiado, depois do indiscutível ato de violência que cometi, eu estaria doida de vez. Mas estou divagando muito e é isto o que me preocupa: receio que ainda haja algum perigo rondando a minha cabeça. São os meus inimigos invisíveis. A tal da herança genética, acho, manifestada sobretudo em meu perfil obsessivo. Que me põe diariamente em desarmonia. O meu marido me acusa de às vezes ser chata, insuportavelmente chata. Pombas, eu sou é sensível. Ele não sabe o quanto sou boa atriz, sendo agradável o resto do tempo. Ele não sabe que eu sou uma artista de tempo integral. Por isso, e só por isso, eu o perdôo por toda a sua grosseria e raiva desmedidas. Em dias como ontem, quando nada do que ele vociferou, enquanto brigávamos, chegou a me ferir pessoalmente. Sendo a única coisa que eu gostaria é que ele conseguisse, feito consegui, detectar em si próprio toda a chatice, a maluquice e o perigo, que ele costuma apontar nos outros.

Eu sinto, e pressinto, e vejo coisas acontecendo 24 horas por dia. Grandes ações tomam forma ao meu redor, ao mesmo tempo, em todas as direções. Pai, se ainda tivéssemos alguma convivência, poderia ser mais detalhista nesse exercício, do olhar vasto, e te ensinar um pouco; ele — este olhar— ficou claro quando assisti ao vídeo da festa de aniversário de um dos meus filhos. Como não tinha sido eu que o havia gravado, pela primeira vez, pude ver tudo que se passava, enquanto eu existia. Vi a mim mesma, para lá e para cá, presente e distante; nossa, foi lindo. É lindo — está tudo, novamente, acontecendo agora. E eu corro o risco, se estiver tão viciada em aguardar retornos aos meus atos, de perder esses maravilhosos momentos. Preciosidades de todas as ordens: familiares, sociais, sexuais, espirituais, fúteis. Perder momento algum, lindo ou feio, aliás, não posso mais.

Por exemplo: hoje eu vi um carro velho parado na Vinte e Três e fiquei comovida. Como de hábito, desejei, em voz alta, boa sorte para o desvalido dono. Tenho uma pena da porra daqueles que passam por humilhações no trânsito. Em seguida, entendi o que havia detonado em minha mente a especial ternura que senti pelo proprietário daquele Corcel: você. Pois é meio assim que te imagino, com as informações que me chegam: um homem em dificuldades, inutilizado, que vive da aposentadoria de 380 reais. Se desejo sorte para o motorista da Vinte e Três, posso oferecer um pouco de perspectiva ao meu progenitor moribundo. Sem querer, com isso, desenvolver qualquer vínculo tardio, nem sarar culpas acumuladas. Já disse: eu não sou boa, eu não sou má. Desejo eliminar diagnósticos e ir em frente, pouco me lixando para os impropérios que vierem em minha direção. Mesmo se eles forem desferidos por aqueles que supostamente deveriam me proteger das brutalidades da vida.

A propósito: decidi, e não pense que deixei de te odiar, que irei dar um jeito de colocar ao seu lado uma enfermeira, e tudo o mais necessário. E "o resto é silêncio", ou não, o resto é o antes, e o agora, caso você se interesse por este meu relato. Exatamente, ao melhorar a sua expectativa de vida, ficarei com mais tempo para pensar o que é imprescindível de você saber. Não pretendo dar ênfase ao período em que estive detida, as humilhações que passei, etc., mas garanto que nenhuma temporada na Sorbonne poderia oferecer tanto. Tudo me pareceu diferente a partir de lá, sendo sobre essas diferenças que quero falar. É gozado isso, pois este é um assunto que tratei apenas com uma psicóloga de lá, e sempre me incomodou o fato de tudo ter acabado ali, no sigilo de uma profissional. Já que o meu marido não sabe de nada, meus filhos também não, e amigos eu não tenho. Segredos, portanto, estou cheia deles. E incorporo mais e mais, diariamente, porque tenho meus sentidos apurados, como qualquer pessoa que já tenha sido encarcerada. Quem passa uma semana trancada num quartinho escuro, não tem jeito, desenvolve uma extraordinária habilidade para desvendar detalhes escondidos. Hoje de manhã, comprei os meus remédios na farmácia e notei que a moça que me atendeu, no mês passado, havia clareado os pêlos dos braços. Por que uma mulher como ela, trabalhando num lugar daqueles, clareia os pêlos do braços, e um mês depois eu percebo? Esse tipo de coisa que me ocorre, entende? E outras mais sofisticadas, claro, citei essa mais para exemplificar o nível de detalhe. Não pretendo me tornar uma entendedora de coisa alguma, apenas me dou o direito de tirar as minhas conclusões e criar algumas designações; roubando um trocinho dali outro daqui, já que leio muito, porém basicamente me abastecendo de minhas experiências. Por isso denominei esse "microscópio" grudado em minhas retinas, e toda essa intuição de sobrevivente, de "bóia contra o afogamento do desamparo". Ou apenas: bóia. Porque sinto-a presa ao meu corpo, erguendo-o do nível normal de perigo. É feita de um material especialíssimo, que une medo, frio, sede, fome, dor, saudades e calor de febre. Subprodutos do desamparo, portanto mais leves que ele. Meu Deus, é preciso ter bóias resistentes, para quando pularmos das janelas, para quando sentirmos o chão fugir debaixo dos nossos pés. A mesma agonia do bebê, que depende do outro para comer, beber, virar, para tudo — bosta de carência básica infantil, que nos torna para sempre patéticos, jamais capazes de vencer essa necessidade, sozinhos, de alcançar o amor. O amor, o amor, o amor. Vá para a puta que o pariu o amor. Todo esse imperativo de amar é puro masoquismo. De ser amado, mero sadismo.

Retorno, agora, depois de quase uma semana. Dias durante os quais me mantive na falsa impressão de que não havia por que continuar escrevendo essas coisas. Gostaria de dizer que foram ímpetos de perdão em meu coração, mas não foram. Foram os enfermeiros, contratados para cuidar de você, que você recusou. É sensacional, pai, você ter-se negado a receber a minha ajuda. Sensacional. Primeiro, como que você descobriu que fui eu? Eles foram alertados de que isso deveria ser mantido em segredo. Só que todo segredo requer mentiras, não é, pai? E pegar mentiras é a sua especialidade, eu não posso me esquecer. Acredito que, hoje em dia, você deva estar ainda mais atento, com a sua inteligência senil dedicada à paranóia. É, de burro você não tem nada. Não abriria mão de seu eterno papel de vítima. Não assim, tão fácil. Seria exigir demais, realmente, que você fosse generoso comigo a ponto de me dar uma chance de te ajudar. Posso até imaginar a sua cabecinha, pensando: "De jeito nenhum! Se eu aceitar que ela me pague enfermeiros, estarei de alguma forma perdoando, e eu não posso permitir que ela saia dessa com qualquer tipo de perdão." Não quero o seu perdão, querido pai, porque aprendi a não desejar o que não existe. Até queria, sim, as suas desculpas, talvez. Porque eu iria, então, enfim, poder nos absolver a todos, de uma só vez, e cantar: "a sorrir eu pretendo levar a vida, pois chorando eu vi a mocidade perdida". E pronto, nada mais teria para te contar, tendo detalhado, neste verso de samba, tudo que ainda interessaria. Um pouco tarde para milagres, entretanto. Não terei as suas desculpas, nem você terá os meus enfermeiros. E voltei a escrever com a incrível sensação de que pegarei ainda mais pesado. Não vou me matar no ataque, paizinho, apenas porque não tenho a nobreza de um kamikaze. Mas, de agora em diante, mais do que nunca, depois de muito chorar a respeito, acho que não pouparei você de nada.

A idiota da minha massagista achou um enorme avanço isso tudo. Disse que eu querer contratar alguém para cuidar de você demonstrava que estava indo muito bem, "me fortalecendo no processo", já que desejar ajudar significa crescer. Só alguém que cresce pode se julgar apto a ser útil, ou coisa parecida. O fato é que eu havia "crescido". E a sua decisão, de recusar a minha oferta, não faria muita diferença, diante da "nova correlação de forças". Aparentemente, papai, não sou mais uma desamparada. Tenho força suficiente para pretender ajudar, e tal conquista já seria uma façanha. Apesar de você conseguir provar que, mesmo moribundo, continua mais forte do que eu.

Momento solene, em que minha vida vira livro, por minhas próprias mãos, e eu me descubro uma personagem completa, mas secundária.

Temos, portanto, que voltar outra vez ao teórico começo, em busca de tentar entender o que me aconteceu, para que eu ficasse assim. Lembra da Alex Forrest, a personagem da Glenn Close naquele filme, *Atração Fatal*? Ela faz um monte de coisas horríveis, porém tudo fica explicado. Tanto que, confesso, vejo e revejo a história, e sempre sinto uma puta compaixão por ela. Chegando a torcer por Alex, em diversos instantes, mesmo sabendo de cor aquele final. Reconheço que é porque sou mais sensível que a maioria das pessoas, e também mais experiente nesse tipo de ódio, que às vezes dá, podendo fazer uma leitura mais delicada da personalidade dela. Calcada em conjecturas, é claro, pois o filme não nos oferece muito. Não acho o filme ruim, somente um tanto superficial no que se refere à apresentação da motivação da personagem da maluca. Veja bem: Dan, o carinha, feito magistralmente pelo Michael Douglas, é um cínico. Não por haver traído a esposa com Alex — isso ele deve ter feito várias vezes antes, com muitas outras, na sua vidinha de garanhão bem-casado. Dan é um cínico porque é o perfeito homem de hoje, que evoluiu do homem de antigamente, para manter-se o homem de sempre. Ele é gentil com sua mulher, e ainda dá umas trepadas com ela, mesmo que ela não nos acene com nenhum atrativo; pois no filme vive para o lar, no lar, entregue ao gênero "natural, meiga e compreensiva". Ele se mostra grato por ela ser assim e se dedicar com amor àquela parte da vida de um homem que precisa estar organizada, para que ele possa trazer dinheiro para a casa. Ela é tão insignificante, dentro da trama em si, que vi o filme dezenas de vezes e não me lembro do nome dela. Talvez Ann. Vamos chamá-la de Ann, aqui. Então, é a Ann quem cuida daqueles detalhes todos que os homens, por mais legais que sejam, não gostam de cuidar: crianças, comidas, supermercados, louças, roupas, roupas de cama, panos de prato, poeiras, ácaros, retrovírus. Ann é do lar, com muita satisfação e eficiência. Nas férias, ela viaja com o marido para lugares exóticos bacanas, onde podem relaxar do restante do ano, e nos aniversários, ela ganha uma jóia linda, com um tocante bilhetinho. Alguém pode questionar se Ann é feliz? Lógico que é — quem não seria feliz tendo uma vida cretina dessa? Bons aparelhos domésticos e boa convivência familiar — existe algo a desejar além disso? Então a Ann do Dan é doce e participante, e foi graças à estabilidade dela que o marido conseguiu se tornar o advogado promissor que é, quase com direito àquela tão esperada promoção, que o levará a sócio-júnior da firma. Aí aparece a Alex. Que fode loucamente com Dan. Ele fica tão culpado com aquela fodelança que dá sinal verde para a esposa comprar a casa dos sonhos dela, no subúrbio. Ou seja, foi a Alex quem proporcionou esse *upgrade* na vida do casal. Se aquela vagina loura descabelada não tivesse se enfiado na história, talvez Dan não tivesse a coragem para arriscar tanto numa hipoteca. Nisso a história é bastante clara: o marido estava reticente, até a chegada da culpa. E vejo que é assim mesmo; sei de vários outros casos, em que situação semelhante ocorreu. O que nos leva à nossa primeira grande conclusão: é com culpa que se movem os homens. Homens se casam por se sentirem culpados, topam ter filhos por se sentirem culpados, fazem loucuras na vida por se sentirem culpados. As Anns, portanto, precisam das Alexs. Dans também precisam das Alexs, porque não querem mais transar com suas esposas, mas necessitam delas cuidando da casa. E o mercado imobiliário também precisa das Alexs, para vender casas melhores — ou simplemente maiores, já que devem dar cada vez mais trabalho doméstico às Anns. Óbvio, isso se trata de um olhar ampliado de minha parte; não estou tentando sugerir que esse filme, de vinte anos atrás, ainda seja um tratado exato sobre o que acontece. Todos sabemos da evolução do papel da mulher na sociedade, todos conhecemos muitas mulheres que vivem sozinhas e são donas de seus narizes. E mulheres que até sustentam os homens, enquanto eles arrumam a casa. Mas, pai, pensa: o que há de mais trágico naquela trama não se modificou. Nem se modificará jamais, temo. Não estou falando da traição, estou falando da injustiça com que é tratada a mulher que surta, quando cansa de ser útil aos outros. Se eu fosse presunçosa, diria que estamos desvendando, aqui, um mito. O mito Alex Forrest. Tão forte, que consegue atrair seu já arrependido amante para um segundo encontro. Em que trepam como nunca: na pia, no chão, nas mesas, pelas paredes. E ele, exausto de tanta trepação, resolve dormir lá, na cama com ela, aproveitando que Ann está fora até segunda. Se não me engano, está justamente visitando a tal casa que ela sonha em comprar, que — detalhe — fica vizinha à casa dos pais dela. Pois sim, nessa providencial ausência de Ann, Dan, sentindo-se culpado por tratar Alex mal, resolve dar uma segunda transada com ela. De onde chega, domingo de manhã, culpadíssimo. E a primeira coisa que ele faz é ligar para a casa dos pais de Ann, querendo falar com ela, sobre estar mais favorável à compra do imóvel. Está entendendo, pai, como é sórdido tudo isso? Acho que você não deve ter aparelho de vídeo, senão eu te emprestaria a fita, para você rever. Tem uma cena reveladora, em que Dan despeja na tijela do cachorro uma lasanha que Ann deixou pronta para ele, na geladeira. Lasanha que era para ele ter comido na noite anterior, enquanto transava feito um louco com a outra, no *loft* da outra, esmagando-a numa torneira. Nada mais significativo, entende? É assim que homens como Dan tratam as mulheres: comem quando estão a fim, mesmo que não estejam com muita fome, e depois, quando perdem o apetite, jogam aos cães. Ainda nessa mesma manhã, logo após conversar com sua sogra no telefone, sobre a casa e sobre Ann, e saber notícias da filha de cinco anos, Dan recebe uma ligação de Alex. Está puta da vida, porque ele não a acordou para se despedir. Puta da vida, e ela deixa isso claro. Era o momento de Dan, um merda de marca maior, ter percebido que Alex não batia bem da cabeça. Ninguém liga para a casa de um cara casado, com quem passou a noite trepando, domingo de manhã, dando ataque porque ele não se despediu direito. Ninguém, em termos — as Alexs ligam. Então Dan pode acusá-la de tudo, menos de ter fingido ser quem ela não era. Ora, a mulher telefona para a casa dele, dando-lhe um esporro sem fundamento, e Dan topa se encontrar com ela para um clichê romântico: passeio no parque. Pior, leva o cachorro dele junto. Não vendo nada de errado nisso, ao contrário; afinal o bicho precisa fazer a digestão da lasanha. Não há pecado em passar uma tarde deliciosa com uma mulher divertida, vagando pelos gramados do Central Park ao som de Madame Butterfly, depois tomando um vinhozinho tinto num improvisado piquenique, há? Poxa, um homem que trabalha tanto, para dar do bom e do melhor para a sua família, um dia, pode ganhar uma adorável matinê como essa de bônus, superjusto. Além do mais, ele não está fazendo mal a ninguém, está? Está. A Alex. Mas tudo bem, ela é má. Ela tem casos com homens casados. É uma histérica descontrolada. Tão descontrolada que, dali por diante, Dan vai se fodendo de verde e amarelo. E, mesmo consciente das merdas que fez, opta por continuar errando. Vários erros seguidos, em especial porque decide não contar nada para Ann. Seria provável que a esposa o perdoasse, ainda naquele ponto da coisa, sendo ela tão compreensiva. Só que ele quer se safar dessa sem macular sua figura de homem bom e centrado — não está pensando em poupar Ann, como se poderia argumentar, pois, se estivesse, teria sido, enfim, previdente, e se antecipado à merda total que estava por vir. Quer dizer, estava na cara que ele não tinha como escapar daquele bafafá sem alguns arranhões em sua imagem, mas Dan prefere encarar o problema como sempre encarou tudo na vida: "No final as coisas acabam dando certo, porque sou o fodão". Novamente, a questão do merecimento. Que denomino de teoria do macho-alfa. O macho-alfa é aquele que está sempre por cima da carne-seca, sob controle — mas não porque ele se esforça para isso. Ele manda no pedaço porque é assim que é, e assim que tem que ser, então não se fala mais nisso. Dan se acha no direito de invadir o apartamento da Alex, heróico, em busca de algo que incrimine a maluca. Descobre apenas que o pai dela não havia morrido como ela havia dito. Ou vice-versa; enfim, era alguma mentira relativa ao pai. Talvez insinuando algum tipo de abuso na infância. Que explicaria o coelho na panela. Coelho que era da filha, e com o qual Dan relutou em corcordar, só topando mesmo por culpa. Dan sabia que aquele bicho ir dar confusão. Bicho, na família, só mesmo o cachorro do macho-alfa. Em casa, o macho-alfa quer paz, muita paz, para ele poder ser quem ele é: o cara.

Morra Dan. Viva Alex.

Alex é o gênio por trás do melhor termo já criado para se designar uma condição feminina: coelho-na-panela. Uma mulher está coelho-na-panela quando ela fica tão ensandecida com uma situação, que passa a ver razão nas piores crueldades. Vingança é a razão, geralmente, mas uma espécie de sentimento vingativo que homens não experimentam. Alex sabia perfeitamente bem que tudo desmorona diante de um coelho branquinho cozendo no fogão. E fez o que tinha que fazer. Afinal de contas, naquela história, só não é mais vítima do que a menina, a filha de Dan; coitada, aquela será uma traumatizada pelo resto de seus dias. Apesar de nem ter se dado conta do mais grave: foi o pai dela quem colocou o coelhinho no fogo. Pelas mãos de Alex. Com a cumplicidade de Ann. Uma sonsa, que, no final, queria apenas tomar um bom banho de banheira — estava depalperada, com a cara inchada, pois sofreu um injusto acidente de carro, enquanto procurava desesperadamente pela filha, pelas ruas da cidade. A menina (que, já pela escolha da atriz, demonstra traços de uma negação da feminilidade, talvez fruto de uma decepção precoce com os homens) havia passado o dia num parque de diversão, com Alex. Divertindo-se com ela de uma maneira igual à do pai; aparentemente, essa Ann é mesmo uma chata de galocha. Pois bem, Alex, pobrezinha, totalmente descacetada, com um casaco medonho de linho com ombreiras e um vestido branco de noiva que não vai casar nunca (só quem está bonito o tempo todo na fita é Dan — está abatido, sim, mortificado, sim, exausto, sim, mas está impecável; porque os homens atuantes, mesmo os que atuam errado, são sempre representados na nossa cultura como jovens-senhores sexualizados e charmosos), resolve matar todo mundo. Claro, está coberta de bons motivos. Então, enquanto o dedicado Dan está preparando um reconfortante chá para a sua injustiçada Ann, Alex ataca. Primeiro Ann, já que macho-alfa só participa de confrontos finais. Como a chaleira está chiando, Dan, absorto em seus pensamentos culpados, não ouve a esposa gritar. Temos assim a cena do banheiro, as duas lutando. Por Dan. Pelo garanhão grisalho. Que, quando enfim percebe que algo está acontecendo no andar de cima, encontra Alex por um triz de acabar de vez com a dona da casa, na ponta de uma faca de cozinha. É quando temos o final edificante: Dan se supera e, espumando de testosterona, afoga Alex na banheira. Uma cena já clássica. Os olhos da Glenn Close reviram, ela estrebucha toda, até que sossega morta. Morta nada — Alex ressuscita não se sabe como, usando algum tipo de força sobrenatural, que parece vir do desprezo sofrido. E investe com todo seu ódio ancestral para cima de Dan. É o grande momento de Ann. Ela não pode perder aquele homem lindo, advogado brilhante, que lhe deu uma bela casa no subúrbio e uma filha tão agradável. Dá um belo de um tiro em Alex, que desaba dentro d'água; com seu vestido branco grudado no corpo e um buracão vermelho no meio da barriga. Alex estava sem bóia.

Bom, pai, talvez eu tenha me excedido um pouco nessa conversa sobre o filme, mas ainda não terminei. Preciso voltar à questão inicial: nós, público, ficamos sabendo por que Alex se tornou uma mulher coelho-na-panela? Não. E sim. Para mim, ficou mais do que óbvio. Ela já havia sido deixada antes, várias vezes. Desrespeitada, evitada. E simplesmente chegou ao seu limite. Era isso que eu queria que você entendesse. Com quase certeza de que estou perdendo meu tempo, porque, caso você estivesse disposto a entender alguma coisa vinda de mim, teria aceitado que eu pagasse os malditos enfermeiros.

Mas dane-se o entendimento, quero agora que você engula minhas histórias como engole o mais amargo dos seus remédios. Estou puta e não irei deixar barato. Preciso apenas ir buscar os meninos no curso de inglês e, na volta, você me aguarde.

V

Quando fui presa, passei por coisas que você não acredita. Ninguém acredita, só quem passou e, mesmo assim, desconfio que haja gente que pira, na hora, só para não estar presente na humilhação. Ser vasculhada nua, por exemplo. Uma, duas, três, quatro, mil vezes. A mais aterrorizante experiência que alguém pode viver, acredito. Tudo em nome da lei. Quando tive o meu primeiro filho, lembro que as pessoas me perguntavam muito se eu estava assustada, e eu respondia que sim. Mentira, não estava nada. Simulo constantemente que estou amedrontada diante de certas coisas, não estando. Medo é algo que, hoje, apenas lembro de ter tido. Tenho temores, confesso, mas temer não é o mesmo que sentir medo. Temo pelo bem-estar dos meninos e do meu marido. Temo a ignorância religiosa, que tem deixado o mundo um lugar perigoso. Temo que o silicone em meus seios um dia me dê um câncer. Mas não detecto um pinguinho de medo percorrendo as minhas veias. Não digo isso com orgulho, quase pelo contrário. Temo essa realidade. Parece aquela doença que a pessoa tem, que não sente dor alguma. Queima-se no fogão sem perceber, morre sem saber que está morrendo. Eu, eu tenho certeza de que estou morrendo, chego a sentir as dores que um dia me levarão daqui, mas nadinha me amedronta. E é por causa dessa minha estranha forma de leveza que, às vezes, não creio estar realmente viva. Só remexendo nas memórias do passado sou capaz de me manter conectada com a realidade, por mais estúpido que isso pareça.

Raiva eu tenho, e muita. Principalmente porque não posso esquecer aquelas coisas mais tenebrosas que me aconteceram; afinal, são elas as únicas que ainda conseguem me emocionar. Horrível constatar isso, mas a falta de algo que me amedronte faz-me dependente das piores lembranças. Morrer de medo é superemocionante, pai. Terror e excitação juntos, uma fórmula hollywoodiana infalível. Nada irá superar aquilo em sua mente, então nem tente. Caia numa vida pacata e viva de recordações. Houve um tempo em que acreditei que o esquecimento era uma solução. Procurei de todas as maneiras convencer a mim mesma de que o que passou, passou. Uma autolavagem cerebral que até me fez sentir mais saudável por um pequeno período, ao manter os horrores vividos em suas devidas épocas. Só que um belo dia esses ectoplasmas resolvem desmoralizar seus esforços e surgem em bloco, dançando descaradamente na sua cara. E você fica bobo com a potência de merda que jorra em sua direção. Foi nessa temporada de falsa-amnésia que conheci o meu marido. Foi ótimo viver aquela mentira com ele, naquele momento. Mas aí vieram os sonhos. Fantasmas em seu balé formidável. A me lembrar quem eu era. Quem eu sou. É aí, nesses instantes de recém-acordada do susto, quando seguro tudo no pensamento, que sinto um leve sabor do que seria um quase-quase medo; aquele que senti ao entrar no sistema reformatório de menores delinqüentes. Minha Sorbonne, já disse. Aprendi bastante, sem roupa, sendo colocada em posição de canguru por uma mulher que olhava dentro de mim.

Abrindo-me como quem procura por sujeiras nas fendas de um sofá. É muito instrutivo quando você, assim, chora, e é informada que chorar só vai piorar as coisas. Que as choronas são odiadas por todas: internas e senhoras — senhoras e senhores é como temos, os delinqüentes, de chamar qualquer adulto que lide com a gente. Sem nunca jamais olhar nos olhos de ninguém, pois é falta de respeito. Também não é para reclamar quando as senhoras e os senhores ficam olhando você tomar banho — este é o trabalho deles. Observar você. Ver se você está andando conforme o regulamento: de cabeça baixa e mãos para trás. Se lava a sua calcinha com a esperada higiene e se a coloca dentro de um saco plástico, conforme está no quadro de avisos. Eu tinha 17 anos, pai, quando passei por isso. Medo, portanto, é aquilo que passei. Nas noites em claro, ou durante os sonos mais pesados. Um medo sem comparação com qualquer outro que eu tivesse sentido, ou viesse a sentir depois. Imagine não ter a menor idéia do que viria pela frente, por dois anos e sete meses. Não há condição mais abandonada do que aquela, presa no meio daquela gente. É estar sozinho como você nunca esteve ou estará na vida. O âmago do mais intenso medo, do qual ainda me alimento, quando o descaso geral me dá a sensação de que já estou morta sem haver percebido. Continuo escovando os dentes, passando fio dental, cremes para as rugas, beijando os meninos, trepando após uns copos de vinho, mas é tudo apenas uma reverberação de vida. Sigo me movendo por inércia, cadáver distraído.

Sabe o que é b.o.? Boletim de Ocorrência. É uma espécie de medida lá dentro, meio as suas notas no vestibular. Pois bem, tentei manter meu b.o. em segredo, ao chegar. Não achava que ter espancado a mãe com um martelo iria fazer bem para minha imagem lá dentro. Não existe maior tabu no mundo do que mãe, é impressionante. Confirmo isso mais ainda, agora, sendo uma. Pois eu posso chegar numa festa de criança e falar de tudo: cu, caralho, boceta. Mas se eu disser alguma coisinha mais cabeluda a respeito da maternidade, todos olham chocados. Transformar a própria mãe em tetraplégica, imagina, pegou realmente mal com as outras meninas, todas no máximo assassinas e latrocidas. Um b.o. daquele é impossível esconder, eu devia saber; e de repente me vi cercada por uns tipos bem estranhos, querendo me pegar porque eu era má. Uma coisa é você ser do crime, ter dado uns tiros em algum drogado devedor, ou em polícia, outra é você martelar a mãe que nem bife na tábua. Nem adianta se explicar, não há motivo que justifique, você não presta de jeito nenhum. Todos sabem que mãe é território sagrado. Eu merecia apanhar, e apanhei. Tentei buscar ajuda com as assistentes sociais, mas foi pior, porque fiquei com fama de cagüete. Foi quando aconteceu a minha primeira grande sorte na vida, eu considero, que resultou no fato de, atualmente, eu estar viva. Ou, pelo menos, conseguir ser essa mulher que sou: com marido, casa, viagens, filhos, etc. Porque, se tivessem me quebrado a cara, nada do que alcancei seria possível. Parte importante de minha estratégia, não nego, partiu de minha relativa beleza. Digo relativa por ser modesta, além de bonita. Mas voltando a meu primeiro golpe de sorte na morada do inferno: uma nova detenta chegou em nossa unidade, após ter sufocado a irmã recém-nascida. Pois é, só mesmo um nenenzinho para suplantar uma mãe. Mães, até existem algumas filhas-da-puta, mas não há neném que mereça ser assassinado. E a infeliz da menina apanhou em meu lugar pelo restante daquela temporada inicial. Tempo suficiente para que eu me firmasse mais ou menos no grupo, fazendo umas camaradagens e, aos poucos, podendo esclarecer melhor o meu b.o. divulgado. Tudo certo, mãe é sagrado, mas não era o caso da minha. E, com os meses passando, ficaram até com pena de mim, pois eu era a única que ninguém visitava. Até a menina que sufocou o bebê tinha uns familiares que apareciam de domingos em domingos, mas eu não. Isso acabou se traduzindo em diversas regalias, que passei a ter, porque os funcionários mais legais, e algumas das meninas, acabaram me "adotando". Posso assim dizer que a sua completa ausência foi a minha segunda grande sorte. Não estou sendo cínica, juro, estou reconhecendo um fato. Adaptar-se à humilhante rotina de uma instituição corretiva é um teste de sobrevivência. Ainda mais para uma inadaptada eterna como eu, você sabe. Lá, porém, aprendi a me encaixar onde havia espaço. O que não significa exatamente uma adaptação, embora funcione como tal. Por exemplo, escrevo isto às seis da manhã, enquanto os meninos ainda não acordaram e o meu marido está numa de suas viagens de negócio. Seis da manhã, e sua filha está escutando "Pathetique", do Beethoven, na cama, com um iBook G4 no colo, remoendo o passado. Toda "edredon", toda macia em minha camona *king-size* com colchão americano, tomando uma água mineral no gargalo. Cheia de livros ao meu redor. Segura, no meu ótimo apartamento, com excelente vizinhança. Só estou assim, pai, porque passei por tudo aquilo. Entenda que não estou me vangloriando, foi uma merda. Se tem uma coisa que aprendi mesmo, estando lá dentro, é que não lhe tiram apenas a liberade, tiram o direito de sonhar. Não há como ter, ou manter, sonhos, quando o melhor que pode acontecer com você é não piorar. A maior punição que um preso sofre, então, não é ficar de tranca, nem comer comida fria, nem lavar privada, nem ser proibido de fumar fora da hora da brasa. É perder o poder de sonhar. E o incrível é que isso, pensando bem, parece justo — alguém que transforma a mãe numa aleijada não merece mesmo mais nada da vida, merece? Novamente, não estou sendo cínica. Se um filho meu entrasse aqui, no meu quarto, com um martelo na mão, e me estourasse os miolos, sinceramente, eu ia achar justo que ele perdesse as ilusões. Ia. Nunca reclamei do meu destino. Nunca disse: pô, isso é sacanagem comigo. Sacanagem é colocar a mãe numa cadeira de rodas para o resto da vida, só porque ela disse que você é tão feia que não andaria nunca mais ao seu lado de tanta vergonha. Ora, ela estava no direito materno dela, de me traumatizar, porque achava meu cabelo horrível, minha postura esquisita, meus passos pesados, minhas roupas ridículas e meus namorados viados. Ela pensava que, agindo assim, seria melhor para mim, já que, se eu não mudasse, nunca iria me casar, nem arranjar emprego, nem ser alguém, e iria continuar sendo aquela pessoa má e inútil, que não fazia nada da sua vida além de ficar lendo besteira e sair para beber com os amigos porcarias, todos também uns fracassados, que também nunca seriam nada, nem teriam nada; aí mamãe teria que me agüentar morando com ela ainda por anos e anos, com o meu cabelo cor de rato, e o meu andar de homem, e minhas roupas de defunto. Ninguém pode ir para a frente vestindo só preto, porque só atrai coisa ruim; como aquelas minhas amigas, todas pervertidas iguais a mim. Mamãe estava tão certa a meu respeito que eu martelei a cabeça dela até manchar o tapete. Merecendo, então, repito, ter todos os meus sonhos confiscados. Mesmo porque o que eu sonhava, naquele tempo, não era grande coisa. Vocês dois, juntos, antes, já tinham tirado de mim qualquer maior ilusão sobre a vida

— como é que alguém desde cedo tão burra e tão egoísta, poderia sonhar com algo que prestasse? Não tive que abrir mão de muito, portanto, quando resolvi fixar os olhos na realidade das paredes e limitar minhas perspectivas ao pátio de cimento. Embora, nesse sentido, o "sistema" tenha funcionado: foi o único dano permanente em mim. Fui punida nisso, quero dizer. Mantive minha alma intacta, quero dizer também. Escuto agora "Fantasia in D Minor", do Mozart, e me sinto capaz de avaliar a obra. Tenho como, por mais ridículo que isto lhe soe. Ela começa com o piano, numa introdução que eu diria ser singela. Nada nesse trecho denuncia o que está por vir. É triste, mas é brando. Não é daquela tristeza declarada, que já descaceta desde a primeira nota e vai num crescente, feito trilha de tragédia. Não, é um triste light. Depois, segue-se uma pausa. Para que reparemos como o silêncio é algo realmente genial. Todos têm o silêncio à sua disposição, mas apenas os artistas sabem usá-lo bem, ou tão bem. Mozart, neste caso, o faz como um quieto milagre de perfeição. Uma pausa como esta primeira, em "Fantasia", depois daquela introdução vaga, serve para nos dar consciência de como o vazio é repleto do divino. Sete segundos, de puro nada, e começa de novo a melodia, desta vez de forma mais delicada. Um triste ainda mais leve que o inicial, só que dá para sentir algo ruim por vir. Como nos filmes de TV, quando vemos criancinhas brincando num parque e sabemos que algum acidente terrível está por acontecer, para justificar o interesse naquela tranqüilidade sem graça. Então, temos mais uma pausa. O silêncio de Mozart, profundo e desconcertante. Menor dessa vez, uns três segundos, mas detonador de uma impressionante seqüência de acontecimentos. A levada fica mais intensa, com um piano agressivo. Preparando a hora do tombo da criancinha, imagina-se. Mas surpreendentemente o compositor opta por dar uma animadinha na hora "H" — mais ou menos como se a criança caísse feio, mas não fosse nada sério, e todos rissem do tombo. Tipo a mãe levanta o filho do chão, dá beijinhos que curam e o menino volta a correr. Aí, mais seis segundos de pausa. Para de novo entrar o piano triste, propondo-nos aquela mesma tristeza leve, que a gente agüenta, e vai agüentando até um certo ponto, quando parece que o músico bate nas teclas com um proposital nervosismo. Acho que o menino correu até um pouco mais longe e, quando olhou para trás, viu que a mãe não estava mais lá. Ou até está, mas não mais para ele — a mãe ri e se diverte, com alguém, já que o piano repete o trecho mais animadinho. Fica claro, no entanto, que essa animação não é correta. Pô, a criança se estabaca de cara no chão, por pouco não se machucando, e a mãe está rindo logo em seguida? Antes de mais nada, isso não é justo. Com o filho, lógico, coitadinho, que se fez de herói para ela, erguendo-se bravamente de uma queda feia e depois sai correndo de novo. Aqui, Mozart deixa evidente a unilateralidade dessa alegria fora de hora: a mãe ri, no piano saltitante, e o filho olha triste, em todo o resto. Um triste agora resignado, de quem não conseguiu fazer com que a mãe se orgulhasse dele. É nessa intenção, creio eu, que o compositor muda um pouco de intensidade, fazendo variações, às vezes dando mais cena aos risinhos da mãe, às vezes focando o desapontamento do filho. O menino até volta a correr, mas nada parece ter graça — o que pode ser tão divertido se a mãe não está nem querendo ver? É quando Mozart se toma da melancolia infantil e suas notas se tornam irremediavelmente infelizes. Não dá mais para disfarçar, não há leveza possível diante de uma criança desiludida. Talvez nem todos percebam essa mudança toda, na gravidade do tom, ao fundo, pois tudo lembra muito o início. Mas há um suspense no ar, que acredito vir dos olhos tristonhos do filho. Culminando em três segundos de silêncio assustador — assim eu o sinto. E o piano volta súbito, como um descarrego de cansaço, parecendo que o músico meio que largou as mãos no teclado para descansar daquilo tudo. Ficamos assim durante uma outra pausa, de quatro segundos, então a melodia retorna alegrinha como nunca. Um alegre também light, que penso ser a mãe vendo o filho olhando para ela e ficando feliz, a ponto de acenar para ele. Gesto que o menino reconhece como sinal de que está tudo bem, afinal de contas. Ele acena de volta, nas variações sobre essa comunhão de sensações que assumem a música. Nada parece indicar a volta de alguma tristeza, à frente. Temos, contudo, que nos lembrar que estamos diante de Mozart. Então, do nada, mais um silêncio — uns cinco segundos completamente inesperados. E de repente o som volta grave, denso, encaminhando-nos para o que parece ser um desfecho pessimista, ao esmaecer assim, sem aliviar. Aí uma última pausa, tipo um segundo e meio, e pammmm: o pianista deixa suas mãos caírem pesadas sobre as teclas, dando um ponto final ao assunto, em exatos sete minutos e 16 segundos. Poderia discorrer sobre o que isso significa, dentro da saga do filho com a mãe, por mais algumas páginas. Desconfio de umas coisas, talvez precisasse teorizar um pouco sobre a infância de Mozart, só que não tenho tempo agora. Preciso me levantar, pois já são sete horas e tenho que levar os meninos ao colégio. Podia tê-los colocado na rota do ônibus escolar, acho que eles mesmos iriam preferir, porém faço questão de levá-los e buscá-los em todos os lugares, sempre que posso. Imagino estar oferecendo uma noção do tempo, na qual eles possam se situar, entendeu? Por mais que ir à escola seja um pé no saco, por exemplo, eles sabem que é algo que começa e acaba. Que seja lá o que ocorra lá dentro, eu estarei na saída, igual estive na entrada. Foi a noção que não tive, pai: a de que a dor não dura para sempre.

VI

"Deixe-me ir, preciso andar, vou por aí, a procurar, rir pra não chorar. Quero assistir ao sol nascer, ver as águas dos rios correr, ouvir os pássaros cantar. Eu quero nascer, quero viver. Se alguém perguntar por mim, diga que só vou voltar quando eu me encontrar."

Cartola, pai, Cartola. Um que eu não teria conhecido tão bem se não tivesse sido presa.

"Nada consigo fazer, quando a saudade aperta. Foge-me a inspiração, sinto a alma deserta. Um vazio se faz em meu peito — e de fato sinto, no meu peito, um vazio, me faltando as tuas..."

"...tuas carícias", acho, não tenho certeza. Mas recito quase todos de cabeça. E penso ser importante aproveitar esse impulso juvenil, de te contar a vida falsa que levo, para também informar as partes dela que gosto.

"Mas noto que é ridícula a minha vingança. Vou seguir os conselhos de amigos e garanto que não beberei nunca mais."

Cartola é, definitivamente, uma das coisas que me fazem feliz. Não são muitas, mas são simples, sendo isso o que me dá essa sensação, que tenho, de serem tantas. Na área da música, mais uns dez compositores. Hoje, eu meio que entendo você, e seus "eruditos", talvez tendo sido até um pouco ingrata contigo, por me expor a Mozart sem que eu apreciasse. Mas não é hora para agradecimentos, nem sentimentalismos. Emoções baratas, quando a serviço daquilo que não tem jeito, só servem para nos confundir. E eu não quero confundir ninguém, muito menos a mim. Dizer que, agora, eu sou grata por ter sido apresentada à música clássica por você, desde tão nova, pode dar a impressão de que algum ambiente sadio me foi oferecido. Quando não foi. Se você estivesse mais em casa, aí sim, talvez, quem sabe, a Rádio MEC tivesse feito alguma diferença. O que tenho na memória é um apartamento pequeno, onde nunca batia sol, com a televisão ligada no SBT. Lembro, sim, de umas vezes que você estava, e a música clássica vazava para o corredor. Lembro também de você tentando melhorar a sintonia do rádio — um tijolão preto, com botões prateados, na época supermoderno. Faria um filho meu morrer de rir, com seu iPod no bolso. Era bonito para caralho aquele rádio, hein? Com a sua capinha de couro mandada fazer especialmente. Pai, você não sabe, mas eu preferia mil vezes ter ficado olhando para aquele rádio, desligado e encapado, a ter ficado assistindo ao SBT com a mamãe e a mãe dela, também conhecida como minha avó. Ok, estou sendo — como sempre — um pouco passional-radical, não era só no SBT que a televisão ficava ligada. Da Globo, elas gostavam dos programas que mais me pudessem traumatizar. Naquela série sobre o Aleijadinho, elas diziam que o Stênio Garcia, todo torto, era meu namorado. *Os Trapalhões* foram outros que se revezaram em me namorar, dependia da faceta de minha personalidade que elas pretendiam implicar. Ah, as aberturas do *Fantástico* também me marcaram muito. Aquelas mulheres perfeitas saltitando em *chroma-keys* e virando com cara de malucas.

Estremecia, até na versão infame que cantavam no colégio: "é fantástico, peru de elástico, boceta de plástico..." Bom, não posso ser ingrata com a Globo como admiti ser com você: foi vendo *Os Trapalhões* que comecei a escutar Chico Buarque. Você deve lembrar de uma cena superengraçada que eles fizeram, com uma música que a Bethânia cantava. Eu sei que você não estava lá, assistindo com a gente, mas vivem repetindo, e deve ter visto. Era uma encenação idiota do que a letra dizia, com o Didi vestido de Bethânia, sendo galanteado pelos outros. "O primeiro me chegou como quem vem do florista: trouxe um bicho de pelúcia, trouxe um broche de ametista..." Confesso, o Didi de Maria Bethânia foi algo forte demais para mim — naquela idade, naquelas circunstâncias. Eu entendi tudo. Tudo. E, entendendo tudo, comecei imediatamente a sofrer. Piorou muito na seqüência, com a comoção que foi aquele *jingle* de Natal, do "quero ver você não chorar, não olhar pra trás, nem se arrepender do que faz..." Detalhe importante: já estamos em plenos anos 1980 e sempre tinha uma música nova da Bethânia, ou com o próprio Chico cantando, fazendo um puta sucesso. Resultado: meu sofrimento encontrou eco para crescer. Até hoje, nunca tive coragem de assistir a um show de nenhum dos dois, pois teriam que me recolher da platéia. Aos prantos descabelados. E tudo começou onde? Nos *Trapalhões*. Por isso que até perdôo a Globo; agora, que o SBT fodeu com a minha vida, ah, isso fodeu. Aquele carnê, com o qual você tinha de estar em dia com a mensalidade. *A porta da esperança*, o *Namoro na TV*, o *Qual é a música*, o *Show de calouros*, as colegas de trabalho, ai, nossa!, esses caras deveriam me pagar uma indenização por perdas e danos. Em dobro, por eu ter visto um filme chamado *O Homem Cobra*. Semana passada, juro por Deus, tive um sonho com o Homem Cobra atrás de mim. E o que foi o *Aqui Agora*? Gente, o *Aqui Agora* me jogava na cara, toda tarde, a cruel realidade: pobre está fodido e mal pago para sempre. Você não pode mostrar esse tipo de coisa para uma menina, quase ainda uma criança, pai, não pode. Não do jeito que fizeram comigo, tão massivamente, tão sem outras perspectivas. Repito: tinha, sim, as músicas clássicas que saíam do seu rádio; e quase chego a reconhecer essa dívida com você, pois não me recordo de outra nesga de beleza durante aquele período. Mas não se empolgue. Onde estava você nas horas e horas seguidas de podridão e mais podridão, que eu fui forçada a engolir naquela casa? Responde? Você estava cagando e andando.

Em algum momento você se preocupou com o modo como eu me sentia? Por algum instante, escutando seu rádio, você pensava a meu respeito? Qual era, afinal, o grande problema comigo? Pai, é simples: eu vivia o inferno completo e um martelo foi o que me sobrou para tentar fugir. Porque, além de ser uma vítima da sua ausência, eu era a maior culpada dela. Já que eu tossia demais e nenhum homem agüenta ficar trancado dentro de casa com uma criança tossindo sem parar, o tempo inteiro. Você, então, estava fugindo de mim, e estava certo em fazer isso. Era isso o que me diziam, pelo menos. Entre um programa do SBT e outro. Olha, pai, tossir me dava tanta culpa, mas tanta culpa, que eu me trancava no banheiro, ligava o chuveiro para fazer barulho e sufocava minhas crises nas toalhas. Que ficavam manchadas de sangue, e aí me acusavam de porca. Eu, vomitando pelas narinas, não passava de uma porca. O SBT, portanto, também era culpa minha. Era o que eu merecia ver por ser tão desqualificada: meu espelho. Toda as desgraças que o *Aqui Agora* descobria, aquilo de mais podre na Baixada, bebês encontrados em latas de lixo, corpos em decomposição nas cozinhas, velhos abandonados em asilos imundos, tudo era responsabilidade minha. Até a falta de sangue para os hemofílicos tinha dedo meu, acredito; e até hoje dôo sangue sempre que vejo um posto de saúde na rua. Da mesma forma, até hoje não posso escutar um só acorde da voz do Silvio Santos. Nem de qualquer imitação da voz do Silvio Santos. Nem sequer passar pelo SBT quando estou trocando de canal. E pior: até hoje creio piamente que o mundo gira ao redor de mim, e que rodo junto com ele, sempre mostrando justamente meu lado obscuro. É por isso que essas tragédias todas acontecem, esses *tsunamis*, esses atentados, é tudo por causa do meu lado negro. Essas copas do mundo perdidas, esses políticos roubando, essa má fase da MPB: culpa minha, culpa minha, culpa minha. Sou um caso raro de egocentria aguda com complexo de inferioridade. Não tenho auto-estima suficiente para me achar motivo de ser o centro dos acontecimentos, mas sei que é assim que está acontecendo. Mais ou menos como as crianças, acho. Acho que o outro só existe sob a minha perspectiva, e por isso, por melhor que ele seja, ele só pode ser ruim como eu. Constatação que me faz desconfiar que talvez — talvez, veja bem — eu tenha sido realmente um pouco injusta com vocês. Será que essa família desgraçada que eu tive existiu realmente? Será que as coisas que acho que vivi, e revivo todo dia, são invenções de uma mente infantilóide, em busca de um culpado para o que fez de errado? É uma possibilidade, não nego, ainda que remota e, por fim, sem importância. Já que o inverso também pode ser verdade: será que eu escondo traumas piores, que bloqueei em meu subconsciente? Sendo assim, não penso em recapitular o que já escrevi, e é isso o que interessa. Mas penso em procurar um bom analista. Adoraria acreditar em regressão por hipnose. Em centro espírita, em cartomantes, em macumbeiras — se eu conseguisse acreditar nesses troços, seria capaz de acreditar em ter uma conversa sincera com você. Tipo pai e filha, sabe como? Mas aprendi que conversas sinceras não existem — existem as confissões por escrito.

Lembro da última coisa que você me disse, quando me levaram. "Você não está sendo presa, você está sendo internada para uma reeducação." Anos mais tarde, quando vim a adquirir cultura à custa do meu marido, li sobre a reeducação de Mao, na China. Histórias sobre como as pessoas eram obrigadas a se livrar dos seus hábitos burgueses, indo viver em circunstâncias diametralmente opostas às suas naturezas e culturas. Entendi, então, enfim, o que você quis dizer. Neste aspecto, se há algo que eu fui, naqueles quase três anos, é reeducada. Larguei mão de ser uma suburbana classe média para ser uma delinqüente da periferia. Eu tinha uma assistente social só para mim, acredita? Uma não, várias; passei de mão em mão, de estilo em estilo, até que conheci minha derradeira psicóloga, terapeuta de formação tardia, que finalmente foi de alguma ajuda. Diria até que ela foi uma pessoa importante para mim. Mais importante do que você, por exemplo. Quando saí de lá, senti falta dela. Logo desisti de procurar uma substituta, após duas ou três consultas com umas psicólogas do Estado. Não eram ruins, coitadas, mas outra coisa que aprendi nessa vida é que substituições não existem. Nunca dão certo, quer dizer. Então é melhor nem tentar. Sabedoria que só se atinge quando se sofre longamente por um amor. Qual é o primeiro pensamento do sofrido amoroso? É: vou arranjar outro amor, o mais rápido possível. Não funciona, pai. Tem o rito de passagem.

Tem o luto necessário. Tem todo o aprendizado com a perda. Bom, você já deve ter entendido que eu tive um amor, lá dentro. Uma amada. Aquela que foi meu primeiro grande amor verdadeiro. Antes, aqui no mundão — chama-se mundão o resto que há por fora dos muros —, eu até cheguei a pensar que amava uns caras, mas não se pode saber o que é amar estando-se tão drogada. Um verdadeiro amor requer lucidez, para tê-lo e para perdê-lo. E como eu vivia doida, doidona ortodoxa que era, não tinha a concentração necessária para realmente me envolver com alguém. Precisei ser presa, ou reeducada, e não contar com nada além de colheradas de açúcar para alterar a realidade, para sentir aquilo que se deve sentir, quando se ama. Ela estava lá por duplo latrocínio. Mas não acho elegante falar do b.o. dela na ausência dela — regras de etiqueta que a gente aprende nos refeitórios de cadeia. A história pertence ao outro, tem que ter respeito. Sei de detalhes que amenizam o que ela fez, mas nem interessam. Lá, inserido naquele contexto, fica tudo muito natural. Fora os casos mais "cabeludos" como o meu, que a miséria do país não explica, os fatos simplesmente são como são. Qualquer boa pessoa está pronta para atacar alguém, basta a oportunidade. Sendo que, no Brasil, oportunidades são o que não faltam. Algumas das meninas mais doces que conheci haviam assassinado gente a sangue-frio. A garota que fazia a melhor pastorinha, nas festas juninas de lá, havia esfaqueado não sei quantos de uma mesma família. Não estou defendendo ninguém, quero esclarecer, estou só tentando fazer você compreender que, diante de determinadas situações, todos podemos nos tornar aquele a quem mais tememos. Lá eu convivi com tipos que, aqui fora, eu morreria de medo. A minha querida mesmo. Se você visse a foto que tenho dela, jamais iria dizer que ela seria uma da minha turma — e olha que, segundo seu próprio testemunho, minhas turmas sempre foram as piores. Entretanto, foi quase amor à primeira vista. Já me antecipando a dizer que, antes dela, nunca havia olhado para uma mulher com desejo. Juro. E juro também que, depois dela, nem me ocorreu ter outra mulher ao meu lado. Pois foi aquele tipo de incrível encontro que só tem sentido nas condições em que existiu. Para começar, como já disse, se eu tivesse topado com ela aqui fora, no mundão, eu provavelmente sairia correndo. Ou pior, olharia com pena ou desprezo. Sei que essa parte da história deve estar te incomodando especialmente. Como se não bastasse tudo, agora isso. Porém, lamento, não há como evitar, e, por Deus, estamos todos mesmo morrendo, não estamos? Você, então, nem se fala — já deve estar sentindo, na face, o bafo de enxofre do umbral que irá habitar. Mas eu também. Eu, meu pai, venho pela vida comendo os lábios, inflamando a garganta, escamando, abrindo úlceras pelo estômago, fechando os brônquios com a pior asma. Eu estou morrendo por auto-asfixia, ao sufocar essa história toda dentro de mim. Já que ninguém sabe quem eu sou. Eu sou uma falsa à paisana, uma embalagem que engana, corroendo-me com os segredos ácidos que guardo. Nossa, como eu gostaria de ser uma grande romancista. Iria contar mil outras histórias, que não a minha, e disfarçar-me bem em todas elas. Nenhuma vida, por si só, dá um bom livro; bons livros nascem da visão genial do artista. Sentido que não possuo, por isso sei que o que escrevo beira o ridículo. Falar de amores, e amores bandidos, assim, em primeira pessoa, tendo apenas a memória como fonte — sei que estou fadada à cretinice. Orgulhe-se, portanto, de todas as frases mal escritas aqui, pois sua morte é a única motivação nobre por trás delas. Cada trecho inconclusivo dessas páginas, respingadas de sangue e ódio, só ganha nexo através da razão maior, de vê-lo morrer comigo em sua cabeça. No mais, é apenas essa tentativa insana de extirpar, antes de ter, o meu futuro câncer, que se dirá congênito. Enfim, eu vomito o meu passado na sua cara por puro alívio e, em meio à bílis da humilhação, vejo pedaços da minha amada. Que foi colocada e retirada da minha vida pela mesma via, a da hipocrisia. Ou você acha que podíamos nos amar em paz? Não, amor é uma das coisas que se proíbem nesses lugares. Éramos punidas por qualquer carinho, qualquer papo no canto. Os bilhetes, heroicamente entregues, tinham que ser picados em vez de relidos. Para cada beijo que trocamos, nos dois anos que namoramos, foram centenas de horas sentadas, uma distante da outra, na mesma quadra cinzenta, onde fingíamos pegar sol, ou chuva, para trocarmos olhares. Dormíamos no mesmo quarto, por sorte, e deitadas, cada uma em seu beliche, separadas pelas camas de dezenas de outras meninas, vivemos os nossos grandes momentos. Até que chegou a minha hora de partir, bem antes da dela. Não sei se você sabe como funciona, mas não há uma data para ser solta — há um prazo limite, nem sempre respeitado; dentro dele, um belo dia, chamam você numa sala e dizem que você está pronta para voltar à liberdade. E não deixam você se despedir de ninguém, pois isso não é bom para o grupo que fica. Ou seja: eu fui embora sem poder olhar, por um segundo sequer, para ela. Para aquele rosto tão precioso, no qual depositei minhas últimas poucas esperanças. Teria ficado satisfeita em soprar-lhe um beijo, mesmo de bem longe, para selar algum compromisso futuro. Mas não, nada. Funcionários já tinham arrumado minhas coisas, e eu tão-somente precisava me retirar. Foi o que fiz, um pouco tonta;

e nunca mais tive notícias dela. Tentei contactar sua família, depois, no endereço que havia guardado de cor, mas haviam se mudado. Eu mesma sabia ser também impossível de ser encontrada, pois ela tinha o endereço da nossa antiga casa, que vocês venderam sem me avisar. Em resumo, foi um período confuso e difícil aquele, quando me vi livre e achei terrível. Fui morar com outra ex-interna, de uma outra unidade, que me foi indicada — uma garota tão calada e apagada que nem tenho como descrevê-la. Mentindo para uma bicha, arranjei emprego como assistente de cabeleireiro, que deu para pagar um supletivo fajuto e a inscrição do vestibular. Passei para Turismo, à noite, e cursei direitinho por três semestres, até que resolvi deixar de ser boba e me aproveitar do que restava de juventude para arrumar um bom marido.

Hora de falar um pouco dele. Com ele, acho, você poderia simpatizar. Não vai acontecer, pois ele não sabe nada sobre você. Ou nada sobre nada, para ser mais precisa. Além de tudo, que não vale a pena ser dito, há a questão de ele ser estrangeiro. Fala português fluentemente, mas, por exemplo, não teria condições de entender o peso de um SBT. Ofereço-lhe, contudo, aquilo que tenho de melhor — as minhas mentiras. Bem mais agradáveis e gentis que as minhas verdades. Que ele não teria como acreditar, por mais que se esforçasse. No país dele, as mães não passam os dias ridicularizando os sonhos dos filhos e os pais não somem de casa quando eles tossem. No país dele, se uma filha adolescente pede dinheiro para ir a um festival de cinema, não apenas se dá, como se soltam foguetes. No país dele, não se deixa uma menina trancada em casa durante suas férias, ano após ano, só porque a avó está muito velha para viajar e muito velha para ficar sozinha. Sem contar que ele não morava aqui quando teve o Rock in Rio, então poderia ficar chocado quando eu dissesse que se a minha mãe tivesse me deixado ir ao show dos B-52's, não teria acabado numa cadeira de rodas. Some-se a isso a completa incapacidade, por parte de um estrangeiro, de avaliar os efeitos colaterais do Brasil sobre os próprios brasileiros. Essa nossa exposição diária ao horror, como se fosse normal, e essa total ausência de responsabilidade social que nos cerca. Aqui, aprende-se cedo que ser é ter, sem se aprender como se fazer para se ter; então não importa se for trabalhando ou roubando, dá tudo no mesmo. Ir na direção do possuir é o que fará você ser aceito, sendo meia dúzia de crimes no decorrer do caminho algo perfeitamente aceitável, tanto para o presidente da República quanto para a minha namorada de cárcere. Dessa maneira, não tenho como contar a verdade para o meu marido — ela é intraduzível. Imagino que, um dia, poderei contá-la aos meninos. Claro, deixarei escapar as passagens mais fortes. Não falo necessariamente das marteladas, nem de ter sido presa, nem de ter amado alguém do mesmo sexo. Falo de vocês e do modo como vocês me trataram. Uma coisa é certa: vou dizer que vocês morreram muito antes de eles nascerem, pois isso é a pura verdade. Vocês morreram para mim, sim, em algum ponto da minha reeducação. Para que eu pudesse sobreviver a tanto descaso, tive que matá-los aqui dentro, no meu mundão interior. Tamanho lugar-comum, escrito assim, que me faz pensar: será que estou ficando piegas? Não, não estou, sempre fui. Só que prefiro disfarçar. Não gosto de que as pessoas saibam da delicada doçura que guardo no peito. Não permito, nem nunca permitirei, que me vejam sofrendo. E sofro. Como sofro. Sofro muito. Uma confissão que torna este livro interditado para eles, meus filhos. Talvez possa dar uma cópia para o meu futuro analista, se ele for legal. Por enquanto, trata-se de uma exclusividade sua. Toda a vergonha que sinto, de todo o sofrimento que passo, por conta dessa breguice de ser uma sobrevivente. Não quero um pingo de compaixão, de ninguém, sequer mereço. E quem tem pena de coitado, coitadinho é. Não me agrada a idéia de causar, com a minha história, qualquer comoção, sempre tão constrangedora e inútil. Se pudesse encontrar um cego desconhecido, numa praça a esmo, disposto a escutar um caso triste, mas bem menos triste que o dele, quem sabe valesse a pena. Contaria tudo numa só tacada, como faço agora, apenas para diminuir minhas chances de tumor na garganta.

VII

De novo, mais acordada que nunca, às quatro e tanto da madrugada. Mas ao menos eu sei quem sou. As pessoas seguem por suas insônias cheias de dúvidas a respeito delas, eu não — eu me conheço perfeitamente. Sou kantiana desde pequenininha. Já ouviu falar do Immanuel Kant? Do Immanuel talvez não, mas do Kant já, claro. Você é daqueles que sabe de tudo um pouco. E o incrível é que eu te achava o cara mais sabido e inteligente do mundo. Falando sério. Foi *punk* para mim aceitar que você era um blefe. Porque isso fazia de mim a pessoa mais inteligente da nossa família. Uma constatação patética, que desmoraliza até a minha menção do filósofo. Odeio gente que fica citando, assim, os outros, acho pedante. Pedante não, eu acho ridículo mesmo. Absorver cultura, porém, é um dever biológico do ser humano, acredito. Então, eu, hoje culta, descobri-me kantiana e tenho um puta orgulho disso. Você, obviamente, não tem a mínima idéia do que tal conquista significa. Vou te explicar — presta atenção, anta. O que há de tão Kant em mim é o "imperativo categórico" que guia as minhas ações, mesmo quando elas são contrárias à minha natureza. Segundo o pensador, a nossa vontade, ou "boa vontade", é a melhor razão que se pode ter para se realizar uma ação. Se você age por lógica, ou por instinto, não está sequer se diferenciando de um macaco. Qualquer chimpanzé cata piolhos pelo corpo e os come, movido por lógica e instinto. O exemplo é meu, não de Kant, mas acho que facilita sua cabecinha a chegar onde quero chegar. Que é no fato de ser muito mais complicado ser eu do que outra pessoa. Pois ajo, o tempo todo, contrária às minhas tendências naturais, forçando-me ao oposto do que me ocorre fazer. Se eu agisse de acordo com o que me seria lógico, ou instintivo, eu acordaria, tomaria uma Coca Light, fumaria um Marlboro e me deitaria de novo. Só que não, eu sou kantiana, ajo por "boa vontade". E isso cansa. O kantiano, tipo eu, não toma banho porque gosta de tomar banho ou porque fica feliz em sair de casa sempre limpinho e cheiroso, não. Ele toma banho porque essa é a coisa a ser feita e ponto final. Entendeu a diferença? Não. Porque eu sei como funciona esse seu cérebro medíocre e moralista. Para você, isso não é ser kantiano, isso é ser cretino. E aí está a incomensurável distância entre Kant e você — ele me entende e aprecia. Kant me acharia o máximo. Já que não há predicado maior do que o meu: insistir no exato inverso da natureza humana. Que é egoísta, baixa e perversa. Sendo que ajo como ajo em pleno exercício de minha liberdade. De manhã, tomo uma Coca Light, mas após o banho. Que me desperta para as minhas diversas atividades kantianas diárias, entre as quais levar os filhos para lá e para cá, fazer ginástica e cuidar dos problemas de beleza. No final da jornada, depois de coordenar o jantar da família, eu não fumo um Marlboro, como eu gostaria. Poderia fumar vários, dependendo de como andasse a minha asma. Kantianamente falando, aliás, não há nada de errado em se ser autodestrutiva, desde que seja por vontade, não por natureza. E também, caguei. O cigarro poderia me matar, se não estragasse a pele. Prevejo coisas horríveis em meu futuro, independe de eu fumar ou não. O que me encanta em mim, ao não fazer o que de mim seria esperado, é que vivo essa contradição com total domínio sobre meus desejos. Não os reprimo, nem os sublimo, nem nada do gênero. Tenho-os, mas não são eles que me movem. Pena que você esteja morrendo, senão eu poderia me deter mais nesse assunto. Você não entende nada de desejos, e agora seria a sua chance de aprender algo comigo. Pai, não realizar um desejo pode ser tão divertido quanto realizar. Basta esmiuçar o extrato desse sentimento e tirar dele o que ele tem de melhor para nos oferecer: a compreensão de nós mesmos. Desejos são raios X da psique; examinando-os com esse olhar, vemos não apenas quem somos, mas por que somos e por que nunca deixaremos de ser. Já que estamos nisso há séculos, manipulados por carências ancestrais e insolúveis. Milhares de gerações de você, tipinhos que julgam os outros pelos buracos do corpo. E acreditam nas mesmas verdades inquestionáveis de sempre. Quem disse que toda fruta faz bem à saúde? Quem disse que todo assassino é malvado? Quem disse que todas as mães são boas? São vocês, os detentores do saber medíocre, da lógica controladora do caos, que querem leis e mais leis, o tempo todo. Porque precisam de ameaças para conter as naturezas sórdidas que habitam seus corpos. Através do medo que habita suas mentes. Pervertidos escrotos. Em mim, garanto que não há pecado, pois não acredito neles. Pode haver desespero e ódio, porque, na falta de amor, ocuparam-me os piores sentimentos. Subprodutos do processo de submissão, necessário às circunstâncias. Hoje, ainda tenho desejos, sim; gostaria de conseguir me divertir sem reticências. Queria ser uma pessoa alegre, como algumas que vejo. Adoraria viver a irresponsabilidade de ser casual, nem que fosse apenas por uma tarde. Mas não é assim, e não reclamo. Seguro a mim mesma pelo cangote, como uma cadela carregando a sua cria. O que carrego é ainda mais delicado — chama-se sanidade. Preciso defendê-la de tudo e de todos, para mantê-la em mim. Posso vir a comer a mim mesma, só para que ela não escape em delírios. Temo enlouquecer, já tendo certeza disso. Por isso sou kantiana. A Humanidade sou eu.

Bom, já são seis horas. Vou ter que parar. Será que você está sentindo dor? Será que alguém te trata com algum carinho?

Hoje é sábado e vou sair para correr. Quando corro, sinto que estou indo para longe do que fui, e fico feliz comigo mesma.

Será que você está acordado, pai?

VIII

Este livro está chato. Estou com muitos psicologismos e emocionalidades. Vou tentar dar uma variada, então, contando passagens mais prosaicas do meu dia-a-dia doméstico. Mas não eliminarei os conflitos; são inerentes à minha personalidade. Se eu te escrevesse uma receita de bolo, viria toda conflituosa em seus ingredientes. Aliás, esta é a chave da boa narrativa. Por que Shakespeare sempre será o melhor de todos os tempos? Porque sacou, antes de qualquer um, e mais do que ninguém, a fagulha primordial. Sem conflito, não há nada que interesse.

Pois bem, devo começar descrevendo minha casa ou a mim mesma? Acho que se você me visse na rua, não me reconheceria. Acho, não, tenho certeza, porque isso aconteceu, uma vez. Nós cruzamos um com o outro, tem uns anos. Eu tinha acabado de virar uma esquina, perto do Centro, trazendo um dos meninos pela mão, e você passou olhando para ele. Lógico que você não reparou, mas os olhos dele são iguais aos seus — amendoados, brilhosos, fundos, cravados no rosto. Tristes, todos me dizem. Temos os mesmos olhos, não sei se você se lembra. Os cabelos, eu uso pouco abaixo dos ombros, castanhos. Não haveria nada de especial neles, se não fossem os fios tão grossos. Dando-me um penteado pesado, que faz mais sucesso entre os homens do que entre as mulheres, preciso reconhecer. Talvez por causa do rabo-de-cavalo, que geralmente faço, e deve me dar algum ar de estudante, ou sei lá, já que continuo magra. Também não cresci desde a útima vez que nos vimos: meço o mesmo um 1,72m. Só que agora eu ando sempre de salto; nada alto demais, apenas para alcançar os tão sonhados 1,75m. Marca que me qualifica a ser descrita como uma mulher alta. Visto-me, por mais incrível que isso possa lhe parecer, de maneira discreta. Não tento aparentar menos idade do que tenho — não por meio das roupas. Cuido bem da minha pele, pois não fumo, e, às vezes, tem gente que me diz que pareço uma menina. De uns tempos para cá, venho fazendo musculação três vezes por semana, na academia; era mais adepta de aeróbica. Mudei de opinião quando, meio sem querer, prestei atenção no desenho ilustrativo, no painel de uma das máquinas, que mostrava como usar o equipamento corretamente. Tinha uma figura feminina esguia, de cabelos presos, com os músculos realçados, e eu me achei, ali, retratada. Num átimo de euforia, sabe? Cheguei até a comentar com o meu *personal trainer*, que concordou que havia uma semelhança. Isso é para te provar que, graças a Deus, não puxei as mulheres da família da mamãe. Todas tão matronas e largas, de tornozelos grossos, estômagos estufados e quadris quadrados. Deste destino cruel eu fui poupada: não me pareço nem um pouco com aquela gente. Não significa que eu seja uma rainha da auto-estima, mas tenho certeza de que ainda estou longe de me tornar um bagulho. Meu único defeito maior, por assim dizer, continuam sendo os pés. Magros demais, ossudos, com as veias saltadas. E tenho os calcanhares finos, então parecem uns pés de cabra.

Senti vontade de chorar e chorei. Porque, de repente, quis desistir. Não vi razão para me machucar tanto, na sua frente — não posso me permitir ser assim, uma doente. Chorei de dor, na verdade, já que me dói, muito, ter que descrever os meus pés para você. Deles, qualquer pai se lembraria — e eu sei que você não se lembra. É foda: quando foi que perdi o amor de vocês, hein? Ainda no berçário? Em que ponto eu me comportei tão mal que a coisa desandou? Queria realmente saber qual foi o erro nojento que cometi, ou a faceta horrível que demonstrei, para que vocês tivessem tanto descaso, tão cedo. Por isso, e só por isso, gostaria de voltar no tempo, até um minuto antes da grande cagada que fiz, para te perguntar: "ei, qual é o grande problema comigo?" Pois, volta e meia, ainda me vejo buscando, assustada, ansiosa, uma solução para esse enigma. Vivendo na danação que é ser condenada sem escutar a acusação. Chorei, enfim, coberta de razão. Como deve ter chorado uma puta que vi ontem, na rua, fazendo-se de *sexy* para um carro que freava ao seu lado; mas não era para ela, era o trânsito.

Semana passada, também na rua, vi meu filho mais velho parado numa esquina, com uma turma de garotos da idade dele. Dei uma buzinada e todos olharam assustados, com medo de serem flagrados. Não estavam fazendo nada, acho, foi mais uma reação automática, pelos desejos que trazem na cabeça. Meu filho, inclusive, fingiu que não me conhecia. E "aqui estou eu sozinho com o tempo", novamente com sensacionalismo barato. Maldita genética dramática, que me persegue na sombra. Não quero emocionar ninguém, juro. Quero mais é enfiar um pau no cu dos que se emocionam.

Só para concluir, então: sou alta, magra, esguia, forte, com pés feios e pais horrorosos.

IX

Meus capítulos estão ficando curtos — sinal de falta de fôlego narrativo. Já desconfiava que isso ia acontecer, para falar a verdade. Nunca disse que era uma escritora, disse? Sou uma leitora, até talvez uma boa leitora, mas não é porque dirijo bem que sei construir um carro. A questão é que tendo a um olhar melancólico, dado a sentimentalismos. Falha que me prejudica bastante. Aqui e em outras ocasiões, bem piores. Não acho, no entanto, que poderia ser diferente, pai. Desde o começo, este projeto está fadado ao apelativo. Uma filha escrevendo um livro para o pai que morre? Contando tudo que ele não soube? Olha, acho que estou até pegando leve. Poderia discorrer sobre quanto sofri, quando me apaixonei pelo R.R., aquele imbecil de marca maior, e você e mamãe me proibiram de sair de noite. Nenhum motivo havia, a não ser o fato de ela ver malícia em tudo o que se movia. No teatro do mundo, mamãe interpretaria a maldade. Se ela tivesse visto o martelo se aproximando, ia pensar que era o ataque de um estuprador com o pau de fora. Vai ver era disso que você fugia, não de minha tosse. Da maldade que habita em mamãe. Que tipo de b.o. se poderia esperar da filha de uma mulher má como aquela? Eu é que sou vítima da mamãe, não o contrário. Não consigo acreditar em nenhuma religião, porque ela adorava padres. Não como verdura, porque ela me obrigava. Não sei pregar um botão, porque ela costurava. Não posso nem escrever e-mails sem que saiam mal-entendidos, porque ponho exclamações (!!!!) demais. É que moldei a minha existência em torno de ser o inverso exato dela. Ela é minha antimatéria, meu anti-relevo, minha criptonita. Sou alguém que corre, histérica, do seu ponto de origem. E se eu sou tão boa, às vezes, é porque ela era tão má, quase sempre. Lembro que até você reclamava. Não venha agora negar esse fato, pois pode lhe ser útil na sua negociação com Deus. Eu mesma testemunho: prefiro mil vezes você à mamãe. Ela era porcaria demais, um ser humano baixo. Você é basicamente um fraco. Um burro metido a sábio. Foi cúmplice no caso do R.R., porque não tinha como não ser: um marido tem que ficar do lado da mulher quando ela surta. E mamãe surtou, isso você reconhece. Quando ela descobriu que ele e eu estávamos namorando, chegou a passar mal, de ir para o hospital, lembra? E estava na cara que a gente não fazia nada demais, éramos drogados, mas bobalhões. Mamãe enxergava, em mim, as próprias perversões inconclusas, só pode ser. De repente, eu me tornei a puta da cabeça insana. Nunca vou esquecer a vez que cheguei toda feliz, do cinema, e a maluca estava na portaria do prédio, de camisola e casaquinho, quase tendo um treco. Berrou horas comigo, na frente de todo mundo que passava, só porque eu tinha chegado 40 minutos após o combinado. Sendo que o combinado era dez da noite e eu já tinha 16 anos. Isso, num sábado. O único dia da semana em que eu podia ser liberada para sair com R.R., desde que fosse com mais pessoas além dele. Gente, pelo amor de Deus. Década de 1980, não de 1950. Eu atrasei porque fomos comer alguma coisa, saindo da sessão. Lembro até qual foi o filme que assistimos:

Betty Blue. Triste para caralho. E, diante da humilhação pública que a mamãe me fez passar, fiquei me achando totalmente ela, Betty. Introjetei aquela essência desvalida em minha personalidade, adquirindo os ares de atriz-francesa-psicótica-fumante que os jornais depois adoraram. Pois só mesmo uma Betty Blue agüenta ser chamada de piranha pela própria mãe, na frente de um porteiro, e manter alguma dignidade.

Piranha.

Vamos tentar avaliar o efeito de um rótulo desses, jogado assim, na cara de uma adolescente solitária e complexada, até então virgem por opção. Pai, pode rir, mas eu acreditava em amor. Acreditava em transar pela primeira vez com o grande amor da minha vida. Até hoje, sou meio assim, ridiculamente pudica. Não gosto de posições extravagantes. Jamais entrei em um motel, acredite se quiser. Nunca fiz sexo casual, mesmo quando teria sido indicado. Transei com exatos dez indivíduos, sendo duas mulheres. Isso não é o currículo de uma devassa, é? Nem bissexual eu posso dizer que sou — das duas que transei, só foi legal mesmo com uma. Cheguei a me considerar um clássico exemplo da "Geração X", apesar de desconfiar que esse termo não colou. Ser um "X" me soou bem por vários motivos, entre os quais você ter dito, uma vez, que eu era "uma incógnita". Enfim, eu e R.R. dávamos uns beijos mais apertados e só. Gostava dele, principalmente porque ele havia sido a primeira pessoa a me elogiar na vida. Eu me achava horrorosa, e R.R. me achava linda. Eu não sabia o que fazer com os meus seios, minhas pernas, minha bunda, e R.R. sabia. Ninguém havia me dito que virar mulher era algo normal, antes dele; pelo contrário. Amadurecer me valeu um mau nome em todo o prédio, que logo se alastrou por todo o bairro.

Se a própria mãe diz isso da filha, por que alguém iria dizer algo melhor? Sendo que a coisa não parou naquele piranha — foi dali para baixo. Você não lembra porque estava sempre no trabalho, ou ouvindo seu rádio, ou vendo os gols da rodada.

E aqui estou eu, outra vez, fechando um capítulo ínfimo. Sou um vexame, realmente.

Uma piranha estúpida inútil.

X

Pai, decidi umas coisas. Resoluções de ano-novo, sabe? Não é final de ano, mas tudo bem, será como se fosse. Porque agora é a hora. De consertar. Falhas das quais sei há muito tempo, só que, antes, ainda podia ser. Antes, talvez, eu é que não pudesse mudar. Mesmo os equívocos, às vezes, devem ser preservados. Elimina-se um erro, que liga dois acertos, e tudo desaba.

Enfim, reconheço inúmeras terríveis falhas em minha vida. E se resolvi ser este o momento de encará-las, é porque escrevo este relato. Insisto no termo, pois é o que estou fazendo aqui: um relatório. Das várias coisas que você não sabe sobre mim. Nas que você sabe, repare, nem estou tocando. Não por qualquer covardia, mas pela natureza de minha motivação. Não escrevo para cobrar antigas atitudes ou reparar culpas. Escrevo para que você morra bem informado. E, se tenho urgência em minhas palavras, é porque você está morrendo rápido. Mamãe já se foi, vovó também, e daqueles familiares, sempre distantes, nada sei nem quero saber. Restaram apenas nós dois. E este relato é o nosso único elo. Não temos amor, mas temos essa nossa história. Então agüente.

"Meu coração de poeta projeta-me em tal solidão que, às vezes, assisto a guerras e festas imensas; sei voar mas tenho as fibras tensas."

Verso de Caetano Veloso que explica bem como me sinto. Paralisada nessa cãibra cerebral que são as minhas lembranças. Presa nessa cela solitária que é não ter para quem contar. Triste testemunho, aquele que não irá salvar alguém de uma chacina, nem modificar o rumo dos acontecimentos. Inútil herança, que não vai pagar dívidas, nem ajudar os necessitados. Um sangue que circula mas não pode ser doado, um prêmio que se ganha, mas não se pode receber. Tudo porque a memória deixa a pessoa petrificada. Revolta guardada, você sabe, imobiliza no passado. Pretendo exercitar os meus músculos, portanto, porque tenho um longo caminho pela frente. E um dia, pai, quando eu também estiver morrendo, lerei estas páginas, do mesmo jeito que você. Cheia de dúvidas e decepções. Sentindo vergonha deste português mal-ajambrado; destes capítulos frouxos, repetitivos, lotados de vícios de expressão e incorreções de todas as ordens. Só que eu terei tido tempo para mudar e você, não. Morrerei, então, mais leve, pois menos amarga. Essa talvez seja, assim, uma vingança, sim, porém involuntária. Uma vez que dedicarei meus próximos anos a melhorar, enquanto você seguirá até o fim reclamando em silêncio — "escutando a música silenciosa de Peter Gast". Garanto, pai: não irei terminar meus dias como você, nesse arrastado e grudento compasso de espera. Nessa contagem regressiva que te deixa cada vez mais sozinho, mais doente, mais incapaz de compartilhar sua dor. Mais empapado de urina e arrependimento. É, arrependimento, sim. Você não sabe, pai, mas está superarrependido. Caso contrário, seria um monstro. E você é um puta de um escroto filho-da-puta, mas não é um monstro. Eu, que sou eu, não sou uma monstra. Se uma pessoa que martelou a mãe não é uma monstra, uma pessoa como você também não é. Fica provado dessa maneira: você está arrependido. Fato para o qual estou me lixando. Registro-o, entretanto, por elegância. Já que estou trazendo verdades, que não são apenas minhas, à tona, sem que ninguém tenha pedido. Poderia contá-las somente ao meu marido, é o que as pessoas normais fazem. Ele criou, porém, uma maneira toda dele de conviver com os meus mistérios, e não me sinto no direito de interferir nessa relação bem-sucedida. Todos os homens querem fugir de problemas, e ele conseguiu. Foi para escapar de seus próprios mistérios que veio para o Brasil, inclusive, deixando para trás uma família até agradável — bem melhor que a nossa, por exemplo. Cheguei a conhecê-los, numa viagem à Europa, e foi legal, mas não surgiram, digamos, motivos que justificassem uma maior aproximação. São alemães. Povo confuso, sofrido, frio, neurótico. Mesmo assim, preciso frisar, mais apresentáveis que vocês. Eu poderia até, depois de haver sido exposta àquela gente, ter resolvido contar tudo para eles. Nada surpreenderia aqueles fumantes encarquilhados do subúrbio de Berlim. Vocês, perto dos meus sogros, são entidades do mundo das trevas, bruxos que lidam com vudu. Eles, protestantes, são muito mais católicos que vocês. Por isso, apesar de saber que ele resistiria, recuso-me a jogar este enredo na cara branquela de meu esposo. Apesar do sotaque e aparência de gringo bobo, ele se tornou um brasileiro típico: adepto da felicidade. No Brasil, optamos por não reparar nos nossos problemas e sair por aí, sambando, não é? Foi o que fez meu gentil marido, que nunca me aborreceu com perguntas irrespondíveis. Irei poupá-lo, por justiça. Meus filhos, pior ainda. Não tenho como falar sobre essas brutalidades com eles sem estar, ao mesmo tempo, brutalizando-os. Se eu fizesse análise, sim, é possível que pudesse evitar de escrever este livro para você. Por essas e por outras que nunca fiz análise. Imagino um cara tentando decifrar meus eventuais silêncios, dizendo-me que sou como areia, que escorre entre os dedos ao fecharmos a mão. Areia é a puta que o pariu. Posso ser tudo, menos areia. Por acaso, areia se transforma? Areia melhora como pessoa? Não. E eu me transformo, eu melhoro como pessoa.

Exemplo: a partir de hoje, quero saber quanto eu custo por mês. Tintim por tintim. Neste exato instante, não faço a menor idéia. Tenho dezenas de cartões de crédito e nem sei em quais datas devo usá-los. Uso-os estupidamente, escolhendo pela cor, sei lá. Primeiro o dourado, depois o platinado. Não sei bulhufas sobre as minhas finanças. Poderia custar a metade do que custo, sem qualquer complicação, e sou um vexame. Uma inflacionada. Sendo que sei disso faz tempo. Passei incólume por diversos planos econômicos e crises nas bolsas asiáticas. Tão empenhada em sobreviver luxuosamente, que não tenho cabeça para anotar no canhoto do cheque. Um sobrevivente não tem planilha. Ele está sempre por um triz. Meu marido, coitado, já me disse milhares de vezes: não parcela. Parcelar é estupidez. Mas eu acho que não. Estamos todos diariamente morrendo, então parcelar é sempre vantagem. Um dia morrerei e defunto não tem dívida — ou seja: sairei ganhando. Mesmo que não faça diferença para mim, já que não sou eu que ganho o dinheiro que ganharia. Mas que tipo de pessoa horrorosa gasta o que não ganha sem nem olhar o valor que assina? Qual é o lastro dessa pessoa que nem existiria, como cidadã, se não houvesse o imposto das notinhas? Além do mais, caso eu descubra quanto custo, talvez veja em mim, enfim, algum valor. Hoje, de manhã, comprei um caderno de contas. Verde. E tem, na capa, em letras ainda mais verdes: conta-corrente. Tudo que eu gastar será devidamente anotado lá — data, local e forma de pagamento. Preciso começar agora, já que é dia primeiro do mês. Não pretendo fazer alarde desse novo hábito, no entanto, porque sempre há a possibilidade de ele não vingar. Eu me conheço muito bem e sei que essas empolgações às vezes passam. Mas estou bastante otimista. Não faço questão de poupar nem nada, quero apenas ter uma noção. Quero poder economizar um pouco, num mês, para no outro ir para Machu Pichu, em paz. Pois é, quero ir para Machu Pichu, pai. Vi uma foto de lá, numa revista, e me deu uma vontade danada de partir numa aventura ecoexotérica. Então, veja bem, só aí já são três grandes decisões. Ir para o Peru, em busca da trilha inca, anotar os meus gastos, em busca de ter uma noção, e contar minhas verdades para alguém, em busca de algo que não sei direito o que é.

Dito isto, podemos continuar. Gostaria de comentar essa virada do primeiro para o segundo tempo da minha vida, que foi quando martelei a mamãe. Não gosto de falar assim, pois confere à narrativa um senso de humor que não existia na ocasião. Eu tinha 17 anos, e tudo que se sente nesta idade é muito sério. Naquele dia, sobretudo, não houve nenhum átomo de sorriso presente, nem por um esgar nervoso. Nossos lábios — os meus e os dela — mantiveram-se trincados de raiva, só se abrindo para os xingamentos do almoço. E eu a ataquei para cumprir o meu instinto natural: matá-la. Silenciar aquela mulher tornara-se, a cada dia, mais e mais vital para mim. Infelizmente. Lamento o que fiz, já disse, mas em especial lamento não ter realizado o meu serviço direito. Não deixei que alegassem em minha defesa, na época, que eu tivesse sido levada a isso pelas drogas, ou por por estar tomada de algum desequilíbrio mental, e tampouco usarei isso como desculpa, agora, por minha pontaria. Eu não estava fora de mim, pelo contrário. Sabia exatamente o que fazia, por que fazia e como deveria fazer. Mas repito o que declarei perante o juiz, e seus juizados, psicólogas, pedagogas, diretoras e carcereiras: eu tinha avisado. Falei várias vezes: cala a boca ou te mato, cala a boca ou te mato, cala a boca ou te mato. Quando peguei o martelo, sabia que era ela ou eu. Os motivos, após tanto tempo, sinceramente, nem teriam como ser resumidos numa idéia clara. Ainda não são, inclusive. Mas, se fui capaz de, naquele dia, dar o primeiro golpe, e o segundo, e o terceiro, e todos os outros que dei até acreditá-la morta, foi porque estava fazendo uma coisa que ela mesma me ensinou: servindo minha função de mulher.

Fui educada a crer que eu só seria alguém se tivesse um homem louco por mim. Se eu conseguisse ser, dessa maneira, a mulher de um homem. Pois mamãe nada foi além disso, e acho que queria perpetuar a tradição. Então, esta foi a doutrina em que fui treinada: se não arranjássemos um homem que nos quisesse, não éramos nada. Pois bem, R. era o homem que me queria. Trágica previsão correta daquele oráculo agourento, que, em conseqüência, deveria ser silenciado. R. havia provado que eu era capaz de ter uma função no mundo, e eu não vacilei diante da oportunidade. É claro que ele não me merecia. Não devia ter me arreganhado na frente dele, como dizia a mamãe. Um cara que eu nem me lembro direito, juro. Uma pessoa que não é marcante, mesmo tendo sido pivô de uma tentativa de homicídio, é uma pessoa definitivamente insignificante. E R. é tão sem sal que é bem possível que eu não o reconhecesse se o visse outra vez. Deve estar gordo, careca, encostado em algum órgão do setor público. Com certeza, eu e meu martelo fomos as coisas mais marcantes de sua miserável vida. Será que R. ainda pensa em mim? Será que me tornei um assunto proibido, também para ele? Uma vez, fiz um paralelo entre ele e a Jodie Foster. Uma estupidez, mas faz sentido: aquele cara que atirou no Ronald Reagan o fez por amor à jovem atriz. Ou seja, Jodie foi quase uma co-autora da ação. Mesmo que essa minha afirmação não faça muito sentido (já que um maluco é um maluco), aposto que ela, no fundo, deve ter se sentido superculpada. Pô, o maluco deu aqueles tiros por causa dela. Se ela não existisse, aqueles tiros não existiriam. Mesma coisa o R. Ele não teve realmente nada a ver com minhas marteladas, mas elas aconteceram por causa dele. Não só por causa dele, lógico — hoje eu entendo bem melhor o que me levou a fazer o que fiz. Sem R., porém, eu não seria capaz daquilo. E R. é culpa da mamãe, porque foi ela que me levou a me entregar a ele como se fosse uma tábua de salvação. Não estou me justificando, juro por Deus. Não estou mais em busca de um perdão. O que digo é que eu somente defendia o meu direito à existência. Como, lá em casa, existir estava condicionado a se ter um homem, dei tudo de mim para manter o que legitimava esta minha única condição: o cara que me comia.

Uma mãe quer que uma filha exista, não quer? Então, por que ela colocou o R. para fora lá de casa tantas vezes? Insanidade temporária — é o que teria sido se eu tivesse acertado a cabeça dela três minutos antes, quando ela enxotou R. para o meio da rua, chamando-o de vagabundo. Não podia aceitar "um malandro de bermuda e camiseta" recostado no seu sofá marrom. Naquele primeiro momento, sim, estive fora de mim. De vergonha. Do tipo de humilhação que se sente ao se ter o clitóris amputado. Estávamos vendo TV, tranqüilos. R. segurava a minha mão, e eu estava com a cabeça no ombro dele. Havia um nervosismo, uma expectativa de que alguém nos repreendesse, claro. Era mesmo uma provocação de minha parte. Um pedido de reconhecimento à minha capacidade de ter um jovem macho ridículo, a me fazer carinho, diante da deidade sagrada da classe média, a televisão. Aí, ela surge de repente, jogando-me na cara que o sofá era de veludo, e que era você quem sempre se sentava nele. Como se nós fôssemos transbordar secreções para o tecido. E eu tinha só 17 anos. Aos berros, empurrando R. como se fosse um leproso, ela me chamou de piranha imprestável. Uma acusação difícil de aceitar, por mais que se tente. Imprestável é quem não serve para nada, certo? Como é que a própria mãe fala que a filha não serve, na presença do macho que a escolheu como fêmea? Meu coração, lembro, disparou diferente. Minha boca ficou metálica. Até hoje, sinto gradações daquele mesmo gosto, quando eu fico nervosa. E a rapidez com que R. sumiu dali, sem sequer olhar para a minha cara, deixou o registro exato da sensação de total abandono. Que me fez salivar sangue e me trancar no banheiro. Onde lavei o rosto para não enlouquecer. E de onde saí direto até a cômoda da copa, para pegar o martelo na gaveta. A sorte de mamãe foi eu ter errado o primeiro golpe. Minha intenção era acertá-la na cabeça e abrir seu crânio em dois. Não sei se ela se virou na hora, ou se foi o cabelo que me confundiu, mas eu atingi seu ombro esquerdo. Não me recordo de sangue, nesse instante, só do barulho. E dela tombando para o lado, protegendo-se com o braço direito das outras marteladas. Que acertaram o alvo no lugar desejado, mas não tinham a mesma força da primeira. Eu enfraquecia a cada golpe, morrendo junto com ela, imagino. As duas, por fim, sobrevivemos, desfalecidas na mesma poça de sangue. Acho até que, no final das contas, morri mais do que ela, durante aquele ataque. Sou, depois de você, a vítima mais morta dessa história. Já que mamãe morreu de uma doença que não teve nada a ver com os ferimentos na cabeça. E eu segui meio zumbi a partir dali, ao me deixar arder nas chamas desse inferno, que é o matar a mãe sem ter matado e o existir sem me sentir existindo.

Sei que toda essa "metafísica" deve estar te confundindo, embora não seja essa a minha intenção. Pelo que soube, por meio dos jornais, logo depois, a versão mais sofisticada que vocês conseguiram dar ao incidente veio de um centro kardecista, e me ligava a um espírito demoníaco oportunista. Portanto, é melhor voltarmos aos fatos. Fato um: eu bati na cabeça dela como quem amassa carne. Fato dois: ela não morreu. Fato três: eu achei que ela tivesse morrido, ou não teria parado de bater. Fato quatro: se houvesse uma arma em casa, teria me matado, quando acordei do desmaio e revi o que havia feito. Não por arrependimento, mas porque seria mais fácil assim. Não podia fugir, porque, pior do que matar a mãe, só matar a mãe e fugir covardemente. Não podia inventar uma história, fazendo-me de inocente, porque não sou cínica o suficiente. Lembrei daquela delagacia, perto de casa, e fui até lá avisar: "Ó, matei a minha mãe. Só peço que limpem aquela sujeirada antes do meu pai chegar. Ele vai ficar puto, quando encontrar o sofá daquele jeito."

E ficou, não ficou? Pode falar. Será que vocês jogaram fora ou mandaram reestofar?

Bom, continuando: os policiais foram comigo até em casa, para se certificarem do ocorrido. Quando chegamos, mamãe não estava mais no sofá. Tinha se estrebuchado, sei lá, e se arrastado até o telefone, onde tentava teclar um número, sem conseguir, devido ao sangue em seus olhos. Foi quando a salvei, porque despertei os policiais de suas catatonias, gritando: "Ela tá viva!" O resto, você sabe: a ambulância veio, e eles me levaram de volta para a delegacia, onde esperei a noite inteira você aparecer, olha a ingenuidade. Achava que, por mais que você quisesse que eu ficasse presa, você iria lá, falar comigo. Perguntar o que tinha acontecido. Ver como eu estava. Se eu chorava, ou urrava, ou ria feito maluca. Mas não. Você estava mais preocupado em saber se o plano de saúde cobria aquele tipo de caso.

Ressurreição. Eis aí um mito católico realmente intrigante. Gosto de imaginar Jesus vivo, após todo aquele bafafá que foi a sua crucificação. Dizem que ele teria ficado em transe, num tipo de estado meditativo, e aí, depois de ser dado como morto pelas autoridades, esperou a poeira baixar e se mandou para a Índia. Tendo morrido velhinho, cercado de filhos e netos, ao lado de Maria Madalena, cúmplice desde o começo na farsa. Ih, pronto, agora este livro tem chances de faturar tanto quanto o Código Da Vinci.

Havendo falecido ou não, entretanto, Jesus dava origem ao dogma mais edificante de sua posterior igreja. A importância simbólica da ressurreição é maior que sua importância histórica. "É morrendo que se vive para a vida eterna" — verso confuso, mas base de um dos principais fundamentos da teoria de Freud: há de se morrer para se renascer. Morrer, entenda-se concluir, resolver, enlutar. Para depois recomeçar, numa vida nova, livre daquele trauma. A eternidade a que São Francisco se refere, em sua famosa oração, é a da repetição. Os ciclos da vida, em sua seqüência infinita. A mesmíssima coisa emendada uma na outra. E a humanidade eternamente fadada a começar e terminar, aí recomeçar e retornar ao fim. As Leis de Newton, o movimento dos planetas, as leis da atração: tudo em ciclos, como as ondas de luz que ecoam nos limites do universo.

Esta é a minha única defesa: tentava, com aquele martelo, fechar um ciclo. Para o mundo poder andar para a frente.

Tenho lido muito, mas infelizmente esqueço a maioria dos títulos. Esqueço os nomes dos autores. Ou não relaciono o título com o autor. Se eu lesse menos, isso não ocorreria. Mas confio no inconsciente. Ele trata de guardar o que for útil e necessário. Por exemplo, lembro-me de uma história verídica, narrada em primeira pessoa, por esse autor que não me lembro, passada em Auschwitz. Uma narrativa cheia de dor e detalhes pungentes, com observações de quem viveu a humilhação na sua forma mais terrível. O incrível do livro, porém, é que o autor, depois de libertado do campo de concentração, defendeu o direito de dizer ter sido lá, de alguma maneira, feliz. Usar o termo felicidade para falar daquele passado cruel era uma maneira de ele lutar por sua verdade. O fato, inegável para ele, é que em Auschwitz, mesmo vendo seus dedos dos pés caírem, congelados, ele havia vivido tempos felizes. Preciso reencontrar esse livro; chorei tanto. E entendi que não há como não proteger as suas experiências, limitando-as em memórias de somente-dor. Todos, seja qual for a vida que temos, vivemos felicidades e tristezas a cada instante. Porque somos e não somos, queremos isso e não-isso. Ao mesmo tempo. Atrair e repelir, amar e odiar, viver e morrer, compreende? Não comparo a minha vida a desse escritor, lógico. Mas quero ter o direito a ter conhecido, também, a felicidade. E quero te contar quando e como.

Quando jogávamos vôlei na quadra, e o meu time ganhava, eu fui feliz. Na hora da brasa acendendo, se me davam permissão de fumar, fui feliz. Quando eu e a minha namorada fazíamos as pazes, fui superfeliz. Sempre que alguém de fora comprava algum bordado meu, e eu podia encomendar um xampu, e o xampu chegava: feliz-feliz-feliz! Se um funcionário reconhecia que eu estava indo bem em alguma coisa, confesso, hoje, eu me sentia bem feliz. Conseguir terminar o segundo grau: feliz para caralho. Refrigerante liberado nas ocasiões especiais: puxa, como eu ficava muito mais do que feliz. Eu quero te dizer, pai: eu sou capaz de ser feliz. Sou. Não por muito tempo, por isso virei essa pessoa que é quase legal, mas não totalmente. Gosto, no entanto, da sensação da felicidade. E gosto de oferecer essa sensação da felicidade às pessoas. Para isso, estou aprendendo a esticar esses momentos felizes ao máximo possível. Mesmo que haja em mim esse sabotador interno, que quer foder com tudo a todo custo. Mesmo que eu tenha essa cara de quem não está achando graça em nada. Mesmo que, amanhã, eu vá viajar para a praia sem a menor vontade disso, pois, no paraíso, eu me sinto deslocada. Desejarei ser feliz naquela praia e serei — quem sabe até vou me empolgar e tomar um pileque de caipirinha, fazendo amigos de bar, por uma tarde apenas e para sempre. Continuarei sendo esquisita e me sentindo envergonhada de ninguém saber quem eu sou, de verdade; ainda mais na luz do sol, na qual parece que minhas mentiras brotam como sardas em minha pele branca. Mas sentirei felicidade. Porque eu correrei para a água com as crianças e brincarei de tubarão, que é uma brincadeira sórdida, que eles adoram.

XI

Uma façanha: chegamos à praia ainda de manhã. E eu não sei, ou sei, o que me acontece quando viajo para o litoral. Fico nervosa, constrangida, sem paciência. Acho-me um traste. Olho para as pessoas ao meu redor — que nem me vêem, apesar de atuarem na mesma realidade que eu — e sinto uma inveja sem medida e sem sentido. Não pode haver nexo em cobiçar a vida desses que se divertem tanto, numa situação tão idiota: areia, calor, água fria, mosquitos. Mas é que eu, numa praia, sou uma anomalia. À luz do sol, sem roupas, sou desvendada e exponho ao público minhas feridas. Enquanto as outras pessoas passam satisfeitas, com suas estrias e celulites para fora, orgulhosamente lambuzadas de óleo, e seus maus gostos estampados em dezenas de acessórios. É impressionante como a roupa de banho pode, com tão pouco espaço, revelar tamanhos erros num ser humano — e, mesmo assim, todo mundo parece estar muito bem, menos eu. Eu, muito bem, nunca. Eu, em férias de verão, sou a maior escrota do mundo. Porque não consigo pular as ondas com as crianças por mais de cinco minutos sem achar aquilo um saco. Os meninos olham para mim, decepcionados, e somem. Como podem ser felizes se a mãe acha tudo ridículo? E o problema não é que eu não me integro, é que eu me desintegro.

Praia, para mim, tem um efeito de criptonita. Culpa de vocês, mais uma vez, que só me levaram à praia uma vez, Araruama, quando eu era criança, e choveu todos os dias.

A idéia de comprar uma casa no litoral foi minha. Visitei várias cidadezinhas, pesquisei, até que achei um lugar lindo por um bom preço. Pensava que assim, proprietária, eu passaria a ter alguma espécie de passe livre, ou melhor, de *greencard*, para a felicidade. Eu teria, registrado em cartório, o direito de agir com alegria. Já que era dona de um pedaço dela, num penhasco, de frente para um enorme mar, da cor dos olhos do meu marido estrangeiro. Um mar que também seria meu a partir dali, e eu poderia contemplá-lo até a morte, com os meus olhos sempre cobertos por bons óculos escuros importados. Nessa casa linda, feita para adultos cultos e crianças livres, eu poderia me tornar praiana. Pfff. Tiro n'água. Porra nenhuma. Eu sou uma doente mesmo, não tem jeito. A casa é linda, o mar é lindo, as crianças são livres e lindas. O meu marido tem sotaque e lindos olhos azuis. Tenho livros e mais livros espalhados por todos os oito cômodos. E eu continuo assim, um total espírito de porco. Uma desmancha-prazer de marca maior. Por mais que leia Flaubert, diante do oceano azul-da-prússia, com filhos sadios brincando ao redor. Sabe o que é isso, pai? Sentir-se falsa sempre que se chega perto de um bem-estar? Tendo que atuar em vez de viver? Patética? Mais ridícula do que se estivesse feliz, de fato? Feliz? De fato? Penso logo: não tenho esse direito. Todos os outros, circulando essas banhas tostadas, superseguros de suas banhas tostadas, têm. Legitimaram aquela felicidade dentro do prazo: a infância. Desde pequenos, vindo à praia com seus pais; felizes, tostados, banhudos, seguros. Eu? Eu?! Eu?!!! Eu, nada! Eu, tiro n'água!

EU, PORRA NENHUMA! EU, DEMÔNIO! EU, EU NÃO MEREÇO! EU MARTELEI A MINHA MÃE ATÉ RESPINGAR SANGUE NO TETO!

É isso. Não gostou, feche o livro.

XII

Tentando entender as sempre repetidas ações

Li, e concordei, com um texto que dizia que a mulher se excita mais com a memória de um acontecimento do que com o acontecimento em si. Já o homem, está mais conectado ao ato. Ao instante, entende? Por isso, os homens conseguem ser mais concretos, ocupando-se com o momento presente e desfocando o resto. A autora desse estudo, uma neurologista americana (ou inglesa), chegou a tal constatação não por meio de uma análise histórica, ou romântica, ou cultural, mas de experiências empíricas, quase científicas. O que ela fez foi expor centenas de casais apaixonados voluntários a diversas imagens, músicas e circunstâncias, enquanto seus cérebros eram mapeados por um computador. Resultado: os homens não condicionam paixão às boas lembranças, as mulheres sim. Por isso que nós, mulheres, adoramos comemorações, delicadas lembrancinhas de viagens e porta-retratos.

Sobre a felicidade (a minha)

Quando buscava um repertório sobre mim, uma memória, material para meu "por trás da fama", eu me perdi. Tudo que consegui foi ausentar-me de mim mesma e ficar assim, sem ser eu; conseqüentemente, SEM SER NINGUÉM. Mas era mesmo o que eu queria — apaixonada pela idéia perfeita de NÓS TODOS: preencher-me com MEMÓRIA. Metê-LA em todos os espaços, cada pequeno buraco entre o quase-nada e o qualquer-coisinha. Pareceu-me um mundo de possibilidades, não sei. Enquanto eu acreditasse naquilo, tentaria viver aqueles breves instantes, pois dessa maneira estaria dando o máximo em nome da VERDADE. E quando falo da VERDADE, não penso em felicidade. Penso em desistir dessas tentativas de mais-um-pouco: mais um pouco de conhecimento, mais um pouco de tempo, mais um pouco de calma. Ora, eu sou uma pessoa meticulosa, não posso admitir desleixo diante da minha própria vida. Apesar de achar a vida uma situação miserável. Então, eu tenho puxado o elástico das sensações, até que os meus desânimos — pertinentes — sejam sobrepujados. Sem esquecer dos perigos, quero sentir alguma coisa que me faça mais destemida no amor por mim, dando-me tal memória deste momento, que será necessária para sobreviver ao fim. Ao meu fim, quer dizer. Esta me parece ser a idéia mais próxima do que seria sentir uma pequena felicidade. Pequena, porque, quando perdemos as ilusões, graças a Deus, o que mais se assemelha à idéia eufórica da grande felicidade é saber que nossos filhos estão saudáveis. O resto é lucro. Lembranças de uma brincadeira, do tempo em que éramos ingênuos, chamada "eu te amo". Esconde-esconde nos campos lúdicos dessa época. É nessas lembranças tolas que busco a coragem de escrever essas tolices. Eu só poderia ser mais tola se criasse um blog, ou um endereço no orkut, para falar de mim. É que, entre as várias decisões importantes que tomei, decidi tentar ser escritora. Dar alguma causa nobre a essas linhas. Você deve estar rindo, e está certo. Para quê? Se realmente ser feliz é apenas a vivência de uma primeira vez, eu devia me conter nas recordações. Devia dormir pensando no meu primeiro namorado, minha primeira sensação de amor, e dar-me por satisfeita. Mas não. Chata, não posso me alegrar em teoria. Se fosse tão simples, bastava manter à mão algum álbum de fotografias. A melhor tese é a mais bem escrita, até que escrevam outra melhor. E eu gostei do texto da neurologista inglesa (americana?). Preciso guardá-LO (todos que me recordam a sensação do olhar paterno) num novo patamar de minha memória — queria uma gaveta cheia de gentileza e elogio. Contrabalançaria a prateleira de descaso, que me incomoda tanto, lá, em seu vazio. O nada me dá uma enorme vontade de me matar.

Constatando um terrível defeito (meu)

Sou obsessiva. Completamente. De certa forma, creio que essa característica tenha me ajudado a ser quem sou, mas ela é burra no que se refere ao amor. Eu quero que o outro — qualquer um, qualquer um, qualquer um mesmo, quando esse um está disfarçado em nomes próprios — tenha a noção de como seria incrível viver aquele um-pouco-mais comigo. Os meus desejos… Os meus prazeres… Os meus segredos… As minhas taras... As minhas reticências... Mas a minha maior burrice é não perceber que não ter esses momentos não significa que nada disso exista. E existir é o melhor que tenho a fazer, ponto. Posso estar bem comigo mesma. Posso ir ou…

XIII

Posso ir à praia.

XIV

Então, pai, vim à praia. De novo. Sempre venho. Insisto, bravamente, sem conseguir aprender a gostar de ir. Uma pessoa ferida, como eu, não consegue andar a esmo pela beira do mar. Mas eu corro. Eu corro na praia, todo dia. Às vezes, duas vezes por dia, de manhã e no final da tarde. Tenho boas pernas por causa disso. Dizem, e eu confirmo, que tenho um belo corpo. Verdade mesmo, tenho belas pernas. E não tenho dito somente verdades neste livro. Mais uma burrice, eu sei — por que alguém mentiria num livro que ninguém lerá? Pelos mesmos motivos que minto para a minha massagista: porque acho que dizer a verdade pode ser, de repente, fatal. Não gosto de mentir, mentir sempre me esgotou muito. Fico imaginando que serei descoberta a qualquer instante. O que fazer, então? Reticências...

XV

Reticências são horríveis, concordo. Graciliano Ramos se negava a usá-las, e o entendo perfeitamente. Mas sou totalmente reticências, não tem jeito. Não tenho como evitar. Sou... Sou um capítulo curto, com final em aberto. Uma cascateira inveterada. Minto em nome do amor, sem ser poeta. Gostaria que alguém contasse essa minha história, sem que eu tivesse nada com isso. Um narrador, sabe? Num texto em terceira pessoa. A bem da verdade, odeio livros em primeira pessoa. Coisa de gente que faz diários. Não suporto. Posso contar distanciadamente? Ué, posso. Mas e agora? Agora já não é tarde demais? Faz mais de um ano que comecei a escrever isso para você. Não contei nada porque não conto nada a ninguém. Fico assim, mudando de capítulo e disfarçando. Acho que, enquanto eu não terminar, você ficará vivo. Talvez eu tenha uma mentalidade infantil. Crianças acham que podem até morrer, se mentirem. E eu acredito piamente que posso matar alguém com uma mentira, a qualquer instante.

Que tal mudar o tom, começando uma confissão? Então, primeiro, um poema:

"Motivo

Eu canto porque o instante existe
e a minha vida está completa.
Não sou alegre nem sou triste:
sou poeta.
Irmão das coisas fugidias,
não sinto gozo nem tormento.
Atravesso noites e dias
no vento.
Se desmorono ou se edifico,
se permaneço ou me desfaço,
— não sei, não sei. Não sei se fico
ou passo.
Sei que canto. E a canção é tudo.
Tem sangue eterno a asa ritmada.
E um dia sei que estarei mudo:
— mais nada."

Ela tem uma filha. A menina fará 13 anos em agosto. Durante esses últimos 13 anos, o que mais a amedronta é que a filha descubra os seus segredos. Por isso, tornou-se uma mãe silenciosa. Não ausente, apenas calada. Quando as duas caminham pela praia, estão sempre quietas. É mesmo bonito de se ver. A filha tem os seus olhos. Olhos fundos, com essa cor indefinida, meio mar, meio céu. Antes, quando a menina era mais garotinha, não conseguia acompanhar os passos da mãe, que ia atlética, na frente, segurando o chapéu para o vento não levar; enquanto ela ficava olhando para a mãe, tão ágil, fugindo. Pobre menina. Qual? As duas.

XVI

É pai, eu sou mãe de uma menina. Ainda não tinha dito. Temo que você saiba dessa minha preciosidade e deposite a sua maldade nesse que foi o maior presente de minha vida. Não estou negando os meninos — eles são tão amados, cuidados e respeitados quanto ela. Mas a minha menina é o meu maior susto, a minha única esperança, pois ela me deu uma segunda chance. Tem me dado. De acreditar. Não acho que você tenha capacidade de recorrer a psicologismos inúteis, mesmo porque a psique é um assunto que nunca interessou a ninguém da nossa família. Mas estou atenta à hipótese de parecer mais patética do que de fato sou. Assim, assumo, olho para a minha filha e cuido dela como se fosse eu, ali, de novo. Dessa vez, por favor, permitam, longe da dor e violência a que fui exposta.

XVII

Vai passar, eu sei. Mas agora a minha cabeça explode de dor. Apenas uma reação natural; depois de tanto chorar, isso acontece. Já aconteceu. Dessa vez, contudo, meu corpo inteiro também dói. Febre alta de 36 graus, já sentiu? Se não fosse tão antiestético, juro que me matava. Seria melhor.

O que aconteceu? Mandei passar para papel alguns *slides* antigos que guardo comigo. Uma caixa cheia deles, que até hoje me confunde — como e quando terá chegado em meu poder? Poucas coisas de antes ficaram comigo. Essa caixa de *slides* some e reaparece de tempos em tempos. Já havia, claro, tirado algumas fotos e apontado para a luz, tentando reconhecer as imagens. Todas, de uma gente que eu não me recordo, em umas paisagens que não identifico. Incentivada pela leitura de minhas últimas páginas, essa semana fui, caprichosa, a pé, atrás de um laboratório. Depois de três quarteirões, com o sol aniquilante estragando minha pele tratada a cosméticos de última geração, encontrei uma foto-não-sei-que-lá. Perguntei se eles passavam de *slide* para papel e um rapaz me perguntou de volta: "qual o tamanho?" "Papel brilhante ou opaco?" "Com margem ou sem margem?" Demorei cerca de meia hora para me decidir. Escolhi tamanho normal, papel brilhante normal e com margem normal. Pois me pareceu que, dessa forma, tudo iria contextualizar com qualquer cena que viesse ali. Que, fossem o que fossem, eu já havia decidido colocar em porta-retratos. Todas elas, como se sempre estivessem estado em exposição. Hoje, ficavam prontas, e fui buscá-las. Pai... Hoje... Meu Deus, é tão assustador... Hoje me dei conta de que fui feliz, antes até do que eu imaginava. As fotos mostraram uma felicidade genuína, e de todos nós. Toda a nossa família. Tinha até gente tocando sanfona para as crianças dançarem, acredita? E crianças dançando, fazendo palhaçada. Eu, inclusive. Eu, dançando ao som da sanfona e fazendo palhaçada, dá para acreditar? Eu feliz. Eu feliz posando diante de uma janela ensolarada. Eu feliz pulando corda. Girando. Por que essas fotos nunca foram projetadas? Eu não me lembrava de ter visto nada daquilo, sério. Se tivesse uma foto dessas lá em casa, na parede, naquela parede que ficou toda respingada de sangue, eu teria me sentido amada e tudo teria sido evitado. As paredes lá de casa, para mim, eram altares em honra da irmã, que me assombrava. A irmã perfeita, porque morta. Acho que hoje é o dia mais triste de minha vida. Acho que tenho sido incapaz para a alegria — da praia, etc. — porque não sabia que havia, em mim, essa menina vivaz, que colore essas fotografias. Eu preciso falar com alguém sobre ela, para redescobri-la aqui dentro. Então, minha cabeça lateja. Sinto ter engordado um quilo, de tanto catarro que juntei internamente. Meus ouvidos estão tão entupidos que me sinto uma astronauta em outro planeta.

(Estou girando em torno do meu corpo. Uma criança que descobre a bebedeira estúpida de rodar à toa. Girando em torno de um pau-de-sebo, sabe? Se eu cair, ficarei

ridícula escorregando nesse treco absurdo, úmido, nojento, feito um pênis idiota

de um gigante besuntado.

Estou dançando. E choro. Choro porque não estou dançando porra nenhuma, estou

apenas esperando a dor passar, escrevendo esses versos cretinos sem escrever nada, girando no meio da sala, chorando, com medo de nunca mais conseguir parar essa dor.

Sou tão feia.

Sinto imensa culpa por não conseguir ser feliz. Outra criança pergunta: você quer

brincar? Eu? Eu não sei brincar. Vejo nas fotos antigas a menina que era eu, aquela que dançava e tinha os olhos crus. Vestida com uma roupa engraçada, e bem me lembro, ela me pinicava.

Estou igual. Girando, girando, girando.)

Esse livro me faz mal. Ele deveria se chamar "O Livro Mais Triste do Mundo".

XVIII

Aconteceram algumas coisas nas últimas semanas que não me permitiram escrever. Primeiro, gripei. Fazia tempo que não adoecia daquela maneira. Fiquei um caco. Tive sinusite, tomei uma injeção de cortisona, deprimi totalmente. Enquanto me recuperava, li uns livros e vi vários filmes. Na primeira manhã em que me senti melhor, fui ao cabeleireiro e cortei os meus cabelos. Curtos. Inspiração? — sempre tenho uma. A Natasha Kinsky naquele filme em que ela se transforma numa pantera. É, eu não tenho mesmo boa memória para títulos. Mas é um filme clássico da década de 1980. *Cat People*, pode ser? Uma coisa assim. Ela tem um irmão-pantera, que quer transar com ela para dar continuidade a essa maldição familiar, de ser meio homem, meio felino. E, enquanto a cabeleira era cortada, foi me dando uma vertigem, um negócio estranhíssimo. Um medo estranho de estar perdendo algo. Fiquei gelada. Como se minha pressão tivesse caído. Tenho tido essas mudanças de ânimo, desde que revelei aquelas malditas fotografias. Parece que descongelei, depois de longa hibernação, e por isso ando bastante sensível. As reações ao meu corte de cabelo me deixaram numa delicadeza de cristal. Fina, prestes a rachar. Os meninos não gostaram, minha empregada pensou antes de responder e minha filha tentou aliviar, dizendo que rejuvenesci. Ah, e meu marido foi embora. Eu sei, parece piada. Parece um acontecimento de filme francês, quando cada sutil ação revela-se um detonador de grandes tragédias. Nenhuma filigrana é menosprezada, pois são ranhuras simbólicas que de repente podem quebrar toda a cristaleira. Metáfora meio cafona, feito cristal, feito filme francês, que sou eu. É, eu. Eu sou a pior metáfora de todas. Eu cortei o cabelo e o meu marido foi embora. Simplesmente disse: "Não gostei." "Você estragou o cabelo." "Você era linda." Eu disse que eu não era apenas um cabelo. Ele disse que o meu cabelo era importante para ele. Eu disse que ele era um babaca, então. Ele disse que não me amava mais e foi embora. Isso foi na terça, no domingo ele ligou e, em mais uma virada digna de Godard, avisou que estava na casa dele. Que casa? "A minha outra casa, onde serei mais feliz, nesse momento." Juro, foi o que ele disse. E eu: "Não estou entendendo". E ele: "Eu tenho uma outra mulher." "Hã?" "É isso, eu tenho outra casa já faz cinco anos. Estava aguardando a oportunidade de te contar." Dá para acreditar? Assim, na maior cara de pau. Gente, eu dei umas marteladinhas de nada na minha mãe e fiquei detida três anos. E esse homem joga um piano em minha cabeça, impunemente? Xinguei de tudo quanto é nome e, antes de desligar o telefone, disse: "Pois eu tentei matar a minha mãe!" Ele ligou outra vez. "Não entendi o que você disse, mas quero que você saiba que eu não te deixarei na mão, muito menos meus filhos. Só não voltarei mais, porque viver com você está insuportável." Insuportável, dá para crer? Ou seja, você e mamãe estavam certos, o tempo todo. Eu não presto mesmo para nada. Até o meu marido, que eu achava que me amava, queria apenas meu cabelo. Teve filhos com esse cabelo. E eu nem sabia que meu cabelo era tão bonito assim.

Peguei o carro e voltei para a praia com as crianças. Para me acontecer algo ainda mais terrível: atropelei um homem. Não, não foi na estrada, nem, graças a Deus, com as crianças no carro. E não tenho certeza se não foi um pouquinho por querer. Quer dizer, foi sem querer, mas não posso negar que sempre pensei em dar uma atropelada em alguém — um desses imbecis que andam pelas cidades de praia pelo meio da rua, folgados, só porque é praia. "Eu tenho casa aqui, sou um membro desta comunidade, então me nego a aceitar paralelepípedos e faço questão de andar com pé no chão, pelo barro rústico." "Qual é a pressa? Estamos no litoral." "Acho até bom quando chove e alaga tudo, assim afasta os farofeiros." "Eu tenho dinheiro, mas acho sensacional andar pelo meio da lama, mesmo que haja um carro querendo passar, porque tenho três carros importados, mas aqui sou quase um pescador. Minha casa fica mesmo numa antiga vila de pescadores e vale meio milhão de dólares. É justamente por isso, para que o contraste seja mantido, que as ruas devem ser assim: não asfaltadas. E eu posso andar pelo meio delas sem camisa, de bermudão." Hipócritas adoram bermudão. E eu sempre quis pegar um deles, porque, na praia onde tenho casa de mais de meio milhão de dólares, há dezenas desses tipos atropeláveis. Sendo que foi justamente o maior deles, um banhudo, que me irrita há anos, que sem querer atropelei. Algo muito estranho, que não sei explicar, e me ajudou a comprovar duas coisas importantes que nunca imaginei que fosse conseguir saber com certeza. Uma: *airbag* existe e funciona. Duas: eu não tenho natureza assassina. Pois, logo que me desvencilhei do *airbag*, não consegui pensar em outra coisa: "Deus, que eu não tenha matado ninguém!" Quando vi que o banhudo se mexia, jurei baixinho: "Vou mudar, vou melhorar como pessoa, vou fazer centenas de coisas justas". Abaixei-me ao lado do homem, como quem pede perdão. E ele me empurrou, chamando-me de louca. Eu me joguei em cima dele e o abracei, chorando. Ele continuou tentando me afastar e se levantar do chão. "Maluca, podia ter me matado!" E eu disse: "Pois é, podia! Sou maluca, sim! Mas não sou uma assassina!" Pessoas se juntaram para ajudar e tentaram me fazer largar o homem. Eu, pelo que me lembro, devo ter ficado uns dois minutos abraçando o banhudo à força e beijando a cabeça dele, com lágrimas escorrendo. Era minha maneira de pedir perdão. Não somente para o banhudo, mas para o resto da humanidade. Até que ele parou de me empurrar e me abraçou também, começando a chorar, igual a mim. Foi quando as pessoas se afastaram. E nós ficamos sentados no meio da rua, sujos de lama, chorando de soluçar, e abraçados de uma tal forma, com tamanha força, que parecia filme. Até que alguém falou: "Papai!" Momento em que o cara acordou daquele transe, grudado em mim numa espécie de simbiose hermafrodita, e se ergueu, dando-me a mão em seguida, para me ajudar a ficar em pé. A filha dele correu até a gente e, sem entender o que se passava, levou-o de mim, perguntando se ele estava bem e o que havia acontecido. Aí, pai, eu vi que o cara era um senhor. É, um senhor. O banhudo, que eu tanto odiava, era um senhor. Com uma filha já adulta, quase da minha idade, por quem demonstrou tanto carinho e preocupação que optou por esquecer o acidente. Ele passava a mão no rosto dela e dizia que nada demais havia acontecido e ela devia se acalmar. Eu, olhando isso, já enxugava minhas lágrimas, pois morro de vergonha de chorar em público. Senti uma certa saudade do momento que havia vivido — nos instantes em que estivemos no chão, abraçados, pareceu-me que havia lhe sussurrado muito mais do que jamais tinha contado para alguém. Uma conexão inesperada aconteceu, entende? A intimidade de nosso abraço foi tão grande, que ele, imaginando o meu embaraço, virou de volta para mim com um sorriso de tudo bem. Eu sorri de volta, já querendo sumir. Aí, ele veio até mim e se apresentou. Fiz menção de tentar me explicar, mas ele fez um gesto, como quem diz entender muito mais do que poderia esclarecer. E me perguntou se eu não queria tomar um copo d'água em sua casa, bem próxima dali. Aceitei, sei lá por quê, pois não estava com sede.

Isso foi ontem, pai. Já escurecia e, diante de quatro pessoas que eu nunca havia visto, contei a minha vida toda. O senhor que atropelei, sua esposa, a filha e o marido da filha. Havia mais uns adolescentes, mas eles não prestaram atenção no que se falava. Foi uma confissão, eu diria. Uma longa confissão, sem subterfúgios. E o mais impressionante é que ninguém ficou alarmado. Nenhum queixo caiu, nenhum olho se arregalou, nenhum estômago revirou. Sendo que eu contei tudo. Tudo mesmo, inclusive partes que omito aqui, porque você já sabe. Coisas há tanto tempo guardadas que tomaram uma proporção diferente ao sair para a realidade. Lembranças que, ao serem transformadas em palavras pela primeira vez, soaram estranhas. Não que eu tenha mentido para mim todos esses anos, mas manter a história só comigo fez com que ela tomasse nuanças mais macabras do que de fato eram. Foi como se, ao dimensionar o horror vivido, para jamais esquecê-lo, meu cérebro tenha amontoado uns resíduos improcedentes. Para que se confirmasse, através dos tempos, o verdadeiro holocausto familiar que nós vivemos. Para que todos nós estivéssemos, para sempre, tatuados como vítimas.

Eu, assassina-vítima, e vocês, vítimas-assassinas. Não sei se estou me fazendo compreender, então vou tentar ser mais clara. Fiquei horas na casa do cara, horas. Falando, falando e falando. Eles não deviam ter nada melhor para fazer e se dispuseram a escutar. Palpitaram pouco, mantendo-se tranqüilos. E durante todo esse tempo que eu passei com eles fui capaz de identificar inúmeras falhas em minha narrativa. Não mentiras, nem meias-verdades, mas "erros de continuidade". Variáveis inconstantes que, numa equação complicada como essa, não podem passar como meros detalhes. A esposa, especialmente, fez observações fundamentais. Fui obrigada a lembrar melhor de diversos momentos importantes, uns bons, outros maus, e muitas passagens se revelaram surpreendentes. Como no caso dos *slides*. Episódio que também contei para eles, em especial tom rancoroso. Disse que considerava uma prova de que vocês sempre me odiaram o fato de aquelas imagens incríveis, de eu feliz, nunca terem ido parar num álbum ou num porta-retrato. Foi quando a mulher do cara me disse:

— Antigamente era diferente. *Slide* era *slide*, e não se tirava tanta foto quanto hoje. Mesmo a minha filha, veja, ela vive se queixando de que não tem quase nenhuma foto dela pequena. Os filmes eram caros, os processos de revelação eram superdifíceis, tirar fotos era coisa rara na vida das pessoas. Você diz que há muitos *slides*, de várias épocas de sua infância — isso significa que eles olharam para você e tiveram o cuidado de registrar aqueles olhares. Provavelmente havia um projetor em casa, mas você não deve se lembrar. Aquelas máquinas quebravam facilmente e não havia meio de consertá-las. Hoje, vocês têm muito mais recursos fotográficos do que a gente; o que não significa que vocês amem seus filhos mais do que nós amamos vocês. A memória era o nosso grande álbum de recordações. E, na verdade, acho até que me obriguei a guardar mais lembranças da minha filha do que ela de seus filhos. Porque não havia como buscar nas gavetas, apenas aqui.

A mulher pôs a mão no coração. Aí, a filha se levantou e foi dar um beijo nela. E eu voltei a chorar. Para quem não chorava na frente dos outros desde os tempos de detenção, ontem foi um recorde.

— Sabe? Todos nós temos mágoas — disse o senhor que eu atropelei, levantando-se para abrir mais um vinho.

— Eu não vejo mágoas em vocês — retruquei, fungando.

— Mas tem — disse a filha, como se tentasse achar graça disso.

— Sempre tem — disse o marido da filha, até então em silêncio. — Eu não falo com a minha irmã há mais de dez anos.

— Explica direito.

— Explica você.

— Gente, eu... — interrompi. Mas o marido resolveu explicar:

— Eu financiei um campeonato de futebol, na vila em que ela morava, para a garotada, inclusive o meu filho, que era pequeno na época. Quando cheguei lá, para assistir, um pouco atrasado, vi o garoto sentado no banco de reservas. Claro, não gostei nem um pouco. E fui perguntar por que ele não estava jogando. E a minha irmã disse: "porque ele foge da bola, é um viadinho. Nisso, dei um murro na cara dela".

Tive vontade de rir, mas me contive. O senhor que atropelei não, ele riu.

— Viu? Isso porque o meu genro é um sociólogo consagrado, envolvido em causas humanitárias, um homem que mantém o hábito da floricultura.

— Exatamente. Dei um murro na minha irmã, que ela cuspiu três dentes depois, com a boca ensangüentada. Nunca mais nos falamos.

— Pior — meteu-se a mulher. — A mãe dele tomou o partido da irmã e também nunca mais falou com a gente.

— Um ano atrás, ela teve um derrame e pediu para me chamar. Só que eu não fui.

— Disse que não ia e não foi.

— Parte por constrangimento, mas também porque não sentia mais nada por ela.

— Aí ela morreu.

— Morreu. E, no enterro, todos deram as costas para mim.

— Para todos nós.

— É. E sabe? Eu não me arrependo. Acho que todos fazemos o que podemos. Não estou querendo defender seu pai, nem nada, mas talvez ele simplesmente não tenha conseguido ir te visitar, enquanto você estava presa. Devia se sentir envergonhado, porque ele também era responsável de você estar ali. Até uma certa idade, os pais são mais responsáveis que os filhos, quando eles erram. Está compreendendo?

Fiz uma cara de mais ou menos. E ele continuou:

— Vocês são vítimas e algozes na mesma medida. E eu acho que você devia até perdoá-lo. Esse perdão não precisa nem ser dito.

— Eu acho que perdão precisa ser pronunciado: perdão — disse a mulher.

— Não concordo, acho até meio ridículo esse negócio do perdão em voz alta. O gesto do perdão é maior do que um papo-cabeça. Um perdão num diálogo pode ser mais falso do que um perdão insinuado. Há, nessas conversas, uma grande dose de teatro. A dramaturgia do leito de morte, principalmente, de um pai distante, tende a ser cínica e mentirosa.

— Eu te conheço e sei que você não gosta de conversas dessa ordem, o que nós chamamos de debater relação.

— Nada a ver.

— Tudo a ver. Você evita conversas intensas, sempre evitou. Não creio que faça isso por frieza, mas por total constrangimento. Somos casados há anos e todas as nossas crises foram resolvidas no silêncio. Silêncio que pode até ser menos vexaminoso, mas nos deixa sempre à beira de um abismo. Que existe, mas que a gente contorna. Até que um dia tropeçamos nessa elegância do não-debate e caímos lá embaixo. Então eu pergunto: para que nos terá servido a intimidade? Para nada. Porque não fomos capazes de nos expor.

— O teatro tem o seu valor.

— Tem, os diálogos têm a sua verdade, mesmo que os termos dessa psicanálise de revista feminina nos tornem, todos, personagens ridículos.

O marido olhou para mim, como quem diz: "pirou". Notei que seu rosto estava mais vermelho do que deveria estar. Pensei em pegar a minha bolsa e deixá-los ali, com suas misérias, indo resolver as minhas. Devo confessar que concordo com ela, mas sou como ele: acho um saco certas sentimentalidades. Nesses debates, estilo sincerão, o que mais me irrita é que todo mundo tem razão. Então, resolvi dizer isso:

— Eu acho que todo mundo tem razão. Esse é o ponto que torna a discusão infundada. Não a de vocês, todas. Acho até que nunca participei de uma conversa tão sensata quanto esta, mesmo porque me identifico com ambas as partes. O que comprova que nada disso faz sentido. Se eu conversasse com o meu marido, ou melhor, ex-marido, nós dois estaríamos certos. Ele, em ir, eu, em odiá-lo por ir. É isso que me desanima.

— E se nós dois tivéssemos conversado, todas as vezes que estivemos à beira de algum abismo, é bem provável que um de nós já tivesse empurrado o outro lá embaixo.

— Discordo. Eu não sou uma maluca que quer ficar debatendo cada sensação conflituante. Mas nós passamos por coisas sérias, que se tornaram maiores, porque não foram excretadas da nossa mente. Não é, papai?

— Eu não quero me meter nisso.

— Não vai se meter em nada. Estou falando em teoria.

— Em teoria, os homens têm vergonha desse troço de conversa. Entendo que às vezes elas são necessárias. Mas existem certas deficiências que o tempo traz para as relações, que palavras apenas pioram. Certos assuntos que sabemos, mas se não falarmos sobre, podemos fingir que ninguém percebeu.

— Mas qual é a vantagem de fingir que não há o problema?

— Quando ele é insolúvel, a vantagem é que você não terá que resolver algo que não tem como ser resolvido.

— Tipo o quê?

— Tipo o fim do amor. Para os mais jovens, o fim do amor pode ser resolvido com o término do casamento. Inclusive, acho isso uma grosseria... Isso que não entendo nesse assunto de abismo... Desculpa, filha, mas abismo é viver. Não estamos à beira dele, estamos nele. E todo mundo age como se fosse um herói por contornar crises, por meio do debate, ou não. Todo mundo vai fazer análise, justamente para não olhar para a pessoa ao lado e dizer: eu tenho vontade de vomitar quando escuto os teus passos. E isso não se diz numa conversa. Você não pode virar para a mãe dos seus filhos e falar: "olha, eu não te odeio, te desejo tudo de melhor, mas eu não te amo mais". Sem que isso venha cheio de acusações. Quando, no fundo, no fundo, amor não dura. E nem venham me falar que o que não dura é paixão. A idéia do amor está lá, faz parte da nossa cultura, essa tal transformação do amor. Podemos dizer: eu não te amo como te amei, mas esse amor se transformou, e eu amo ver televisão com você, eu amo saber que, se eu tiver um treco e ficar todo cagado, você me limpará. Isso é que é indiscutível. O amor não se transforma, ele se esgota, e a gente vai levando, por vários motivos. E, saibam, muitos desses motivos não são nada nobres.

Um silêncio. E a filha vira para a mãe.

— Você, mamãe, o que você acha disso?

— Acho que seu pai tem razão.

— Só isso? Acha que papai tem razão?

— É. Ele disse tudo.

— É? Muito bem, quer dizer que vocês dois, que são para mim a prova de que o amor é eterno, dizem, agora, assim, que não se amam?

— Você dá muita importância ao amor.

Eu disse isso, imagina. Eu disse para uma pessoa que eu nunca tinha visto na vida que ela dava muita importância ao amor. Depois de ter ficado horas reclamando de pais distantes.

— Gente, o amor é, obviamente, a coisa mais importante que existe.

— Quem disse? — eu, novamente. — Acabo de descobrir que a importância dada ao amor, pelas pessoas, é absurda. O.K., o amor é necessário, o amor cuida de nós, o amor nos dá forças para vencer as dificuldades. Mas entendo o que o seu pai diz. Lá pelas tantas, não é o amor que continua zelando pela relação. E quando o amor fica fraco, e não serve mais como muletas, o que nos dá forças? Existir. Existir não é resultado somente do amor. Existir vem do ódio, da raiva, do descaso, da fome, da dor. É por isso que temos filhos, porque eles sobrevivem à temporalidade do amor.

— Então, pelo menos o amor pelos filhos dura?

— Nós estamos falando do amor romântico — respondeu o pai, por mim. Ao que completei:

— Mesmo assim, sim, o amor dos filhos dura. Mas só se os filhos não forem uns babacas.

— Eu amaria os meus filhos mesmo se eles fossem babacas.

— Você diz isso porque eles não são. Mesmo que, para mim, esse termo seja muito vago. Babaca. Mas não acho que meus netos sejam babacas.

— Nenhum de nós é babaca — determinou a esposa.

— Eu garanto que não sou — o genro fez questão de salientar.

— Eu…

XIX

Eu não sou uma babaca. Um babaca é um sonso. Um babaca é traiçoeiro. Um babaca se sobressai pela caretice. Nem digo caretice do setor sexo, drogas e rock-n'-roll — careta porque tem preconceito daquilo que não entende. Para perder o meu amor, um filho meu teria que ser um babaca assim, caretão sete-cruzes. Daqueles que trapaceiam, vilipendiam e transformam as suas invejas, naturais, em sentimentos inumanos. Precisaria ser um político desses nossos, que roubam dos hospitais públicos, que patrocinam a miséria com descaramento e deboche. Mas aí não seria apenas um babaca, seria um filho-da-puta.

Há mesmo muitas diferentes definições para um babaca, mas poucas que me fizessem nunca mais olhar na cara de um filho. Ele teria de ser um babaca daqueles que escrevem coisas babacas sobre cultura. Que tecem máximas degradantes sobre a obra de Caetano. Acho que nem assim — não deixaria de amar um filho se ele fosse um crítico de jornal. Não, eu buscaria em mim os erros que cometi em sua educação. Acho que só deixaria de amar um filho homofóbico. Só. Continuaria amando a minha filha se ela virasse uma dançarina da garrafa. Acho medonho, mas não é um ápice de babaquice. Amaria um bandido? Quem sou eu para não amar? Amei uma ladra, fui presa por tentar matar a mãe. Isso me faz uma babaca? Não. Você acha que sim, tudo bem. Mas é por isso que estamos nessa situação difícil. Você aí morrendo e eu aqui escrevendo um livro para você. Preciso tirar alguma lição desse impasse, antes que seja tarde.

Já sei: eu amarei meus filhos mesmo que virem críticos-babacas, políticos-babacas, homofóbicos-babacas, já que todos somos babacas do ponto de vista de algum babaca. Eu, de hoje em diante, amo os babacas. Amo os meus iguais. E decido que o amor não deixará de correr no meu sangue, em hipótese alguma, enquanto o assunto for filhos. Já tive ódio demais circulando em minhas veias e sei que não vale a pena. A partir de agora, eu serei "A Louca que Perdoa". Serei como Jesus Cristo: eu me perdôo, por isso perdôo a todos.

Todos, menos você. Bem que eu gostaria. Pois o perdão é uma espécie de vingança realizada. Gente que diz que perdoou não-sei-quem, mesmo depois de tudo que não-se-quem fez, diz para se gabar. A gente aprende sobre esse tipo de artimanha, quando conhece o ódio na intimidade — e eu conheci. O ódio foi meu colega de quarto, durante três anos, naquele lugar onde ninguém me visitou. Não só o ódio em mim, mas em todo o lugar. Observar os outros era a minha saída de emergência. Vi tudo, percebi tudo, estudei cada caso. E digo que o perdão, na maioria das vezes, é um simulacro dos piores sentimentos. É mais ou menos como se a pessoa dissesse "te odeio tanto, que te perdôo". Só para foder ainda mais com o outro.

Pai, nessas últimas semanas, sofri grandes reviravoltas. Fico um pouco esgotada com a idéia de descrever todos os pormenores — o que comprova que não tenho o menor jeito para a literatura. É assim: penso, revejo os detalhes, sei tudo o que devo contar, e como deveria fazê-lo, mas desisto. Ufa! Imagina a minha situação: são muitas coisas, todos os dias de minha vida. Já que, até nas épocas em que você estava presente, parecia não estar. Ainda não te contei, por exemplo, da Creuza. Mais uma história supertriste. Uma menina que dormia numa cama perto da minha, que matou o padrasto que abusava dela. Uma menina mesmo. Não havia nem menstruado. Característica que fazia dela motivo de deboche. Porque, lá dentro, qualquer coisa era razão de tirar sarro. Chamavam-na de Creuza, mas o nome dela não era esse. Creuza era uma funcionária das antigas, que nem conheci, virgem e crente, mas tarada. Ficava olhando as meninas tomando banho. Então, todas as "boas moças" que passem por lá recebiam esse apelido. "Fulana é boazinha", "boazinha nada, é Creuza". E Creuza tinha que agüentar essa tiração de onda diária com a cara dela. Só que ela não estava nem aí, ou parecia não estar. Creuza era realmente uma boa moça. Gente que tem talento para ser feliz, sabe? Conheci pouca. Tenho um filho que é assim. Deve estar na sua primeira encarnação, pois não se aborrece com nada, tudo é legal para ele, é novidade. Seus olhinhos brilham diante da vida. Creuza? Creuza vivia sorrindo. E olha que motivos não faltaram para ela perder a paciência. Basta olhar o b.o. dela, que era dos piores. E mesmo isso, toda a violência experimentada, nada tornou Creuza uma revoltada. Até o dia em que ela menstruou. Tardiamente, como já disse. Creuza tinha mais de 16, quando sangrou. E depois não parou mais. De sangrar, quero dizer. No começo, ninguém se preocupou em descobrir por quê: aí, deu um mês, dois, três, seis meses, e ela ficou completamente anêmica. Chamaram o médico, mas ele não soube dizer o que era. Levaram Creuza para um hospital, onde ela continuou sangrando, até morrer.

Penso nessa história todos os dias. E, agora, gostaria que você pensasse também. Tudo o que nela há de simbólico, eu já encontrei e sei apontar. Posso explicar, também, tecnicamente o que aconteceu. As causas psicológicas, os erros de todas as partes, as soluções que teriam dado certo. Creuza, para mim, é como um jogo de xadrez. No qual há uma peça que deve ser sacrificada: Creuza. A vida dela é um tabuleiro macabro. Em todas as casas, inimigos ocultos. O pai que a abandonou, a mãe que se casou com um assassino de alma, o padrasto — assassino de alma —, as meninas que puseram aquele apelido nela, as leis que a condenaram à morte, a sociedade cega, Deus, Virgem Maria, Dama das Camélias, La Traviatta, Freud, Lacan, Nietzsche, eu. Durante todos esses anos, desde que eu soube de sua morte, tenho tentado vencer o jogo Creuza, descobrindo o enigma de Creuza: por que ela não parou de sangrar? Que porra de sacanagem foi essa, afinal? Qual moral pode ter uma história desse tipo?

Jogue comigo, pai. Estou cansada de jogar sozinha. Você sabe me dizer qual é a explicação para tamanha hemorrágica tragédia? Pelas regras, não se pode citar a Bíblia, nem culpar o destino, nem analisar à luz da Cabala, nem verificar o I Ching, nem consultar mapa astral, nem responsabilizar o karma, nem apelar para Kardec. Eu posso te antecipar, pois pratico este jogo há muito tempo, que nenhuma dessas velhas desculpas será suficiente. Há um elemento surpresa, o grande mistério, que não somente explica Creuza, mas também Adriana. Que se viciou em pico aos 12 anos de idade. E também explica a mãe de Daniela, que tirou a filha da casa dos pais adotivos para colocá-la no crime. E explica a mãe de Carina, que deu uma surra na filha ao vê-la sendo violentada por um primo. E o pai de Yasmim, que mantinha a filha acorrentada na pia. E a mãe de Daiane, que recebia dinheiro dos traficantes para fazer a filha de amante e faxineira deles. E mesmo explica a Thereza, que, aos 15 anos, cortou fora a cabeça de uma outra adolescente, em nome do seu namorado. É uma explicação tão boa que serve até para mim, que martelei minha mãe, deixando-a inválida numa cadeira de rodas. Preciso da resposta a este enigma, pai, por favor. E veja que peço somente uma única respostinha. Uma respostinha e tudo estaria esclarecido.

Dica: tínhamos diversas coisas em comum, todas nós. Está me ouvindo? O descaso, o medo, a juventude, os sonhos de uma vida mais bacana; alguma beleza, terrível ingenuidade, confusão. Basicamente, tínhamos carência de amor — amor, caralho, amor! É isso! Finalmente, compreendi o que o senhor que atropelei tentava me ensinar! O amor que nós queremos é o das poesias, o das novelas — e ele não existe! Enquanto carecermos do que não existe, não teremos solução!

Bom, solucionado o enigma, resta a inveja que sinto da filha do senhor que atropelei. A raiva, melhor dizendo. Odeio também a casa de praia deles, que é menor do que a minha. E odeio mais do que nunca a praia. Porque não suporto um amor que não tenho. Sou o que o desamor fez de mim, então amor acaba comigo. E não estou falando de amor estilo Manuel Carlos, nem de amor estilo Chico Buarque, nem de amor de anúncio de revista. Estou falando de mim, de você, de minha nada saudosa mãezinha. Estou falando da ineficiência que sinto em ensinar meus filhos a serem diferentes de mim. Algo que não aprendi. Estou falando da minha dor, das minhas faltas, e caguei e andei se faço isso da melhor maneira que posso, ou não. É uma questão de pura sobrevivência. Porque não haverá outra desculpa para o câncer que desenvolvo em meu corpo ainda saudável, se todas as vezes que percebo amor, vindo de um pai, não é do meu. De você. Você... Você é o pai de todas as minhas reticências.

Hoje, assinei o meu divórcio. Pois é, faz tempo que eu não escrevia. E aqui caberiam umas três páginas de reticências, ou de exclamações, ou de interrogações, ou de parênteses vazios; pois não sei o que dizer. Forço-me a escrever, para não ter que jogar tudo isso no lixo. Sirvo-me, para tal, de uma manjada técnica de terapia: a associação livre. Segure-se, portanto, porque lá vamos nós.

Dor, tristeza, frustração, alívio, vontade de morrer, terror, excitação, ansiedade, falta de apetite, mil desejos de vingança, surpresa, sono, uma dor de barriga, vontade de gritar, silêncio, insônia, choque, negação, sede. Compaixão pelo pai dos meus filhos que, de maneira torta e desajeitada, tentou me poupar do desamor, fingindo um amor que não sentia mais. E não sentia por minha causa, porque sou tão esquisita, e sinistra, e fechada, que nunca o acolhi, realmente. Jamais escutei os seus receios, já que não lhe contei os meus. Já que não lhe contei nada, então nada ele conseguiu me contar.

Tememos, todos, a verdade alheia. Que você recebe agora, dessa maneira clandestina, embrulhada, sem nem ter pedido. Fique feliz, pai, porque você é quase um fantasma. E eu quase não existo, tanto que fui deixada porque cortei o cabelo. A outra deve ter um cabelão, e deve saber escutar; porque fala, e eu não falo. Eu escrevo, mas faço de qualquer maneira, querendo que essa bosta acabe. E não consigo ser tão honesta quanto desejo, por não saber ferir, para valer. Com um martelo na mão, falhei. Com as palavras, ataco com doçura, o que é um fiasco. Sou uma doce agressiva, péssimo. Nada pior do que uma agressividade como maneira de se proteger dos outros. De quem não quer mais se machucar. Fui tão ferida, e ferida vou continuar, já que não há cura para as doenças da alma. Ainda mais no caso da minha, tão escura, tão carcomida pelo pus. Alma fedida, podre, nojenta. Por que não morri, quando todos esperavam que morresse, afinal? Por que não sangrei até o fim, que nem a Creuza? Quero parar e não consigo, quero ter razões para continuar e não consigo. Eu gostaria de ter dito, hoje, solenemente, quando assinei aqueles papéis: "Obrigada por ter tentado me fazer feliz, querido, só que não dá". Não há chance de eu ser feliz, nem de ser nada, porque eu não sou ninguém. Não sei quem eu sou, e sou egoísta: quero um computador novo, viajar por um mês sozinha, correr uma maratona e conhecer o deserto de Atacama. Odeio desertos, mas onde pode descansar alguém que não é capaz de entender o que fez e o que faz?

XX

Vim para a praia. Desta vez, sozinha.

XXI

A minha filha fez aniversário. Fico feliz de vê-la crescendo, tornando-se uma moça. Sinto um pouco de medo, confesso. "Do you know what it feels like in this world for a girl?" Madonna. Adoro essa música. Entendo tudo o que ela quer dizer. Madonna pergunta se você sabe como é se sentir uma garota no mundo de hoje. Você sabe? Olho para a minha menina e penso: nossa, se eu quisesse, poderia foder com a vida dela. Bastava ensinar tudo errado, como fizeram comigo. Jamais faria isso, mas a simples idéia de poder fazer me aterroriza.

O que leva uma mãe a foder com a vida da filha? Inveja, será? É uma possibilidade. Mas que tipo de mãe sentiria inveja da própria filha? Que monstro seria esse? Respondo: qualquer mãe. Todas elas. Todas as mães sentem um pouco de inveja das suas filhas. É horrível dizer isso? É. Mas é melhor do que ser cínica.

Tente imaginar, pai, o susto que é ser uma garota. Na rua, somos cantadas, em casa, somos reprimidas. Querem-nos belas, mas nos agridem se tentamos. Somos violentadas sob a capa do afeto. Parece discurso feminista, eu sei. Mas não há como evitar: ser menina é um problema. Mais um. Principalmente, para as meninas que nascem aqui no Brasil, um país onde a mulher, além da obrigação de ser bonita, tem a obrigação de ser a dona da alegria. Aqui, mulher tem que fazer comida e fazer charme. Tem que ter coragem e bunda. Tem que saber sambar e saber o seu lugar. Uma barbárie. Aposto que você nunca tinha pensado sobre isso, tinha? Nenhum homem pensa. Eu penso. Sobre como nos querem festivas e subjugadas. Efusivas e caladas. Dadas e reservadas. O Brasil é macho, muito macho. É o pau-brasil, o bumba-meu-boi, o saci-pererê, o berimbau, o futebol e o caralho a quatro. E as meninas brasileiras são criadas para seguirem em frente sem perceber o quanto são ridicularizadas. Aqui é pior que na China, na Índia, países onde as mulheres são oficialmente inferiorizadas. Aqui, se disfarça. Somos enganadas, levadas a crer que ser menina é isso mesmo: tomar na bunda sorrindo. Metáfora forte demais? Não, nem é metáfora.

Seja uma menina no Brasil, e nada ao seu redor fará com que você se ache um indivíduo necessário. Conhecidas me deram parabéns por agora eu estar vivendo de minha própria pensão. Eu deveria me sentir satisfeita, porque passei a ser uma dondoca inútil. E eu não tenho inveja da minha filha? Tenho. Quando ela nasceu, já existia a Madonna. E eu tenho a chance de fazer uma diferença positiva, dentro do destino ingrato que a aguarda, ao admitir meus sentimentos mesquinhos. Estou com quase 40 e ela é adolescente — é óbvio que eu sinto inveja. E assumo que isso afeta a minha relação com ela. Acho importante que minha filha saiba disso. Ela vai logo ficar sabendo que o tempo, para uma mulher, é uma merda. Os homens envelhecem e ficam mais maduros, as mulheres envelhecem e ficam desesperadas. Temos essa fraqueza, e uma mãe deve ensinar a filha a lidar com isso. Hoje, enquanto ela floresce, eu murcho. E ela tem a sorte de eu pertencer a uma geração mais esclarecida, então posso dar tudo aquilo que não recebi. Sei reconhecer e elogiar suas habilidades, pois não fui reconhecida nem elogiada. Tenho plena consciência de que é necessário cumprir aquilo que prometemos — coisa recente entre as famílias brasileiras. Aprendi com a vida e sei que se deve ensinar o que se aprende, não o que nos ensinam. Sei que pintar o cabelo acaba com o brilho e que devemos adiar esse recurso ao máximo. Sei que não é bom raspar as pernas muito cedo, porque depois você vira um arame farpado ambulante. Sei que começar a fumar é um vacilo, pois se trata do vício mais difícil de se largar. Sei que, enquanto somos jovens, temos mais facilidade para aprender línguas. Sei que não vale a pena contar com homem nenhum, em momento nenhum. Mas que ela pode contar comigo, mesmo sabendo que eu tenho inveja dela. Como não cobiçar a vida de uma menina que terá tudo o que não tive? A inveja talvez seja, ao lado do amor que sinto, um dos poucos sentimentos não-destrutivos em mim. Já que não a alimento, mas a reconheço e a torno útil. Não agüento essa hipocrisia da negação sistemática da inveja. Por que as pessoas são assim? Por que não admitem que mentem, que fingem e às vezes morrem de raiva da felicidade alheia. Eu fujo de gente que afirma não se irritar com nada. São, sem dúvida nenhuma, os mais perigosos. Porque não pensam naquilo que sentem e, sem pensar, agem. São como crianças, acreditam que um pensamento errado já é algo criminoso, então abafam suas mentes numa vaga letargia disfarçada de cuca fresca. Dizem-se calmos. Na verdade, estão atrapalhando o mundo e a natureza com seus comportamentos antinaturais. Não existe o bem-estar completo, e isso definiu o ser humano. Gente que não se incomoda com nada é o atraso da humanidade. Assim como gente que diz não sentir ciúmes é o viés do amor. Prefiro arder. Prefiro sentir a ser. Sinto inveja, mas não sou invejosa. Sei que as sensações antecedem as ações, e é a ação que vale. Sendo essa consciência a única forma de nos frear antes do abuso. É o desejo de dar uma surra num filho que impede a surra. Sente-se vontade de estrangular um bebê que chora a noite toda, e imaginar essa hipótese é que nos faz ver que um filho é a coisa mais importante da vida. Eu morro de inveja, quando vejo minha filha sair linda, para encontrar com os amigos; mas não infernizarei a vida dela, como a minha mãe fez comigo. Irei, isto sim, melhorar, entendendo o que sinto, porque eu não sou o que sinto.

XXII

Coisas que eu não suporto

Ar-condicionado. Simplesmente detesto. Deve ser porque gente pobre, ou pobre de espírito, sempre é friorenta. E mamãe reunia essas duas condições, tornando-se uma refém dos ares encanados. Fez de mim uma discípula à revelia, pois me criou para não ter resistência ao frio. Já desisti de viajar para estações de esqui — não saio do hotel. Nova York ou Europa, só nas férias de julho. Não tolero temperaturas abaixo dos 20 graus. Mesmo 20, para mim, é pouco; fico batendo queixo. Ar-condicionado, portanto, acaba comigo. Resolvi, porém, não reproduzir esse padrão miserável, e criei os meus filhos desnudos por aí, sem meias ou descalços, seja o mês ou a hora do dia que for. Nada de agasalhinhos de lã que pinicam. Nada de mandar tomar cuidado com sereno. Nada de ficar com medo de abrir geladeira. Não quero meus filhos fugindo de "pancadas de vento", igual a mim. Eu, perante uma súbita brisa, suspiro conformada, achando-me transpassada por milhares de vírus. Num ambiente refrigerado, sinto-me numa câmara de gás. Mas de aquecedor eu gosto.

Trocadilhos. Será que eu preciso explicar? Trocadilho é a indigência do engraçado. É o humor pobre, fraco e vivendo de esmolas.

É o sistema cognitivo usado da pior forma possível. Nada mais representante da masculinidade porcaria do que um trocadilho. Você não vê muitas mulheres juntando palavras para formar outras infames, vê? Prova da superioridade feminina. E ponto a favor para você, pai — não me lembro de você fazendo trocadalhos do carilho.

Pepino, melancia, vinho branco, *escarpin* de salto agulha, esperar, arrumar armário, ser parada na alfândega, PT, listas de *in & out*, sutiã com arame, sutiã com ombreira, roupa de ginástica com ombreira, qualquer roupa com ombreira, os filmes do Cinema Novo, Fanta Uva, gente burra com cultura. Abro parênteses para esse tipo insuportável: o burro com repertório. É, talvez você se enquadre nesta categoria. Burros que entendem tudo de filosofia, que leram todos os clássicos. Burros cinéfilos — esses eu odeio. Quer despertar meu instinto assassino? Me põe num festival de cinema. Pior que burro cinéfilo, só burro que entende de medicina holística e burro que tem boa dicção. Meu Deus, como é que pode? Burro que fez aula de teatro e aprendeu duas coisas: a mastigar as sílabas e tudo sobre Brecht. Burro que manda o convidado tirar os sapatos na sua casa para não afetar o karma. Burro que cita matérias dos cadernos culturais para embasar as suas burrices. Tipo: "Eu li um ensaio de um cientista político — aqueles que lembram o nome do cara me reviram o estômago — ontem na *Folha* e ele falava justamente isso que eu acabei de dizer". Odeio, odeio, odeio. Gente que cita Contardo Caligares me faz perder a fé no ser humano, sério. Os termos: "eu costumo brincar que...", "fulano é tudo de bom", "axé para você". Diminutivo: "quer tomar um vinhozinho?" "Um prossecozinho?" Juro, se o Johnny Deep — que eu amo — chegasse para mim e me oferecesse "um prossecozinho", eu daria as costas para ele e iria embora. Mulheres que posam nua e dizem que é arte. Música sertaneja levada a sério. Caso você queira me matar, basta me trancar numa sala com uma dessas duplas famosas gemendo em harmonia. Carnaval, também, é claro. Carnaval é um tipo de burrice feliz, dias em que todo tipo de mau gosto é incentivado. Cachorro, tenho horror. Sair em casal, sabe? Casalzinho? Dois casais que saem juntos e viajam juntos para Buenos Aires no feriado — acho uma indecência. Tudo gira em torno de ficar se pavoneando para o outro casal. Enchem o rabo de vinhozinhos, para ficarem doidinhos e flertar com o cônjuge alheio, até sair alguma briga feia. No dia seguinte, ressacados, vão às compras juntos como se nada houvera. Forró. Comida baiana. Sotaque forte demais, seja de onde for. Por favor, se controle. Você pode ter nascido no lugar lindo que for, mas não precisa ficar gaúcho demais, nem carioca demais, nem mineiro demais. Ah, lembrei: não suporto folclore. E não agüento culpa cultural — aquelas coisas que a gente tem que gostar, porque é legal gostar.

Coisas que adoro

"Eu vou a qualquer lugar, desde que seja em frente." Adoro essa frase, mesmo sem saber de quem é. "You're so vain", da Carly Simon — acho sensacional ela ter feito essa música para sacanear o Mick Jagger, com quem manteve um namoro, e ele ter aparecido na gravação, para fazer o *backing vocal*. Batatas fritas. Quando estou triste demais, a minha cozinheira — que eu também adoro — percebe e faz batatas fritas. Batatas fritas são sensacionais. Acho que não tenho nem condições de falar sobre a sensacionalidade delas, porque creio que não existe ninguém de boa índole que não goste de batatas fritas. Adolescentes — por incrível que pareça — encantam-me profundamente. São todos uns entediados, sempre sonolentos, esfomeados, agressivos, bobos; me dou muito bem com eles. Gosto muito de Caetano Veloso. Já tive momentos em que gostei menos, porém nunca cheguei a desgostar. Gosto da vaidade dele. E gosto também de Bethânia. Tenho um certo medo dela, porque fico com nervoso de gente cheia de manias, e dizem que ela é cheia de coisas. Ah, por falar em manias, amo, amo, amo, amo, amo Roberto Carlos. Apesar de não agüentar mais as músicas tipicamente pós-Maria Rita. Faço uma ressalva: acho muito bonita a dor do Rei. Entretanto, não deu boas músicas. Se bem que ele não precisa mais fazer nenhuma música boa na vida, pois as melhores são dele. Amo Roberto — se ele fosse meu amigo, eu o convenceria a cortar o cabelo.

XXIII

Minha filha fez aniversário, já disse. Eu e o pai dela — é estranho me referir a ele assim — fizemos uma festa na casa de praia. Uma bela festa, até. Convidei o senhor que eu atropelei e sua família, mas eles não puderam ir. Desconfio que possamos sobreviver a essa ruptura. Falo do meu ex-marido e eu. Ainda sinto raiva, muita raiva, mas devo ter adquirido algum tipo de sabedoria a respeito de desgraças familiares — e faço tudo para que minha raiva não passe para os meus filhos. Posso salvá-los dessa herança maldita. Claro que estou ferida. Vejo-me velha, rejeitada, trocada, repetindo o velho mito da mãe que fica com os filhos — o único tipo de mulher que os homens não querem comer. No entanto, não gosto de mulheres que não sobrevivem ao abandono. Gostaria de entrar em mais detalhes sobre o meu casamento, ou sobre o final dele, mas, como todo ele foi baseado em meu silêncio, isso não mudaria nada do que aqui já foi dito; e creio que o mais elegante, nesses casos, é manter-me calada.

XXIV

Dei um gato de presente para a minha filha. O nome dele é Beto. Entendeu?

XXV

O que mais posso contar? Ando indignada com a Prefeitura de São Paulo. Uma cidade suja, mal iluminada, cara, cheia de controladores de trânsito que só servem para me multar e tirar mais dinheiro de mim. Talvez fosse bom, da minha parte, falar um pouco sobre minhas convicções políticas. Dizer a tristeza que sinto ao ver crianças pedindo dinheiro nos sinais. Mas não quero apelar. Não é justo ser piegas, quando o meu desejo, no fundo, é somente ratificar que não sou uma babaca. Olha quantas páginas — nunca imaginei que chegaria a tanto. Tudo graças a você, já que essa é uma tentativa de fazê-lo enxergar-me.

Ah! Gosto muito de fotografia. Elas confirmam, com uma precisa obviedade, que um dia nós fomos vistos. Gosto de ser fotografada, mas acabo tendo que fazer isso sozinha.

Bom, era isso. Ainda não decidi o que fazer com este livro mais triste do mundo: não sei se mando mesmo para você ou enfio numa gaveta. De qualquer maneira, uma boa notícia para você: você ainda não morreu. Temi não terminar antes disso e agora estou sem assunto. É, jarro ruim não quebra. Eu mesma estou toda rachada e emendada, mas continuo firme.

XXVI

Um dia, pai, eu poderei explicar para meus filhos, porque terei entendido qual é o segredo para sobreviver ao abandono. E que, por mais incrível que pareça, todos têm o direito de partir.

Fim

P.S.: Antes de virar esta última página, quero que você saiba que pode contar comigo. Basta me chamar, caso você se lembre do meu nome. Você lembra, não lembra? Não? Eu me chamo Adriana, Daiane, Carina, Renata, Daniela, Creuza, Fernanda, Anne, Bianca, Franciane, Thereza... Não tenho medo de reticências e, por isso, quem sabe, posso lhe conseguir uma eutanásia, usando finalmente minha nova caixa de ferramentas.

Este livro foi composto em Minion 10/12,4
e impresso pela gráfica Bartira sobre
papel pólen bold 90g para a Ediouro em Setembro de 2007.